Quipu

ESCRITORA
María Inés Falconi

ILUSTRADOR
Alejandro Ravassi

María Inés Falconi escribe cuentos, teatro y novelas para chicos y adolescentes. Lleva publicadas y/o estrenadas más de 50 obras en Argentina y otros países de habla hispana.

Entre ellas, se destacan las series *Caídos del Mapa*, *Fin de Semana en El Paraíso*, *C@ro dice:* y *Hasta el domingo*, novelas para pre-adolescentes.

Bichos de cuentos, *El llorón y Niños, las brujas no existen*, cuentos.

Chau, señor miedo, *Cantata de Pedro y la guerra*, *De cómo Romeo se transó a Julieta*, *El Nuevo*, teatro para niños y jóvenes.

Algunas de sus obras han sido traducidas también a otros idiomas y recibido premios nacionales e internacionales.

Caídos del Mapa ha sido llevada al cine con guión de su autoría.

Participa en numerosos Congresos, Foros, Talleres y Festivales de Teatro para Niños y Jóvenes Nacionales e Internacionales tanto con sus obras, como en calidad de panelista, tallerista, conferenciante u organizadora.

Desarrolla su actividad teatral en la Universidad Popular de Belgrano. Es Miembro fundador de ATINA (Asociación de Teatristas Independientes para Niños y Adolescentes); además, es Vicepresidente de ASSITEJ (Asociación Internacional de Teatro para la Infancia y a Juventud).

Nací en Bolívar, provincia de Buenos Aires, el 2 de marzo de 1959. Ahora vivo en City Bell, cerquita de La Plata. Desde muy chiquito dibujé porque tenía ganas. Siempre fue así. Hasta que un día empecé a realizar trabajos por encargo. Eso fue en 1981. Hice ilustraciones para la tapa de la revista *Mad* (ed. argentina). Luego trabajé para otras editoriales como *La Urraca*, *Perfil*, *Editores Asociados*, etc. Y me ofrecieron hacer los primeros libros para chicos.

Además de ilustrar, pinto y ejerzo la docencia.

Recibí algunos premios en Salones Nacionales y Provinciales (que reconozco, me alentaron bastante a seguir creando). Espero que mis dibujos en este libro te gusten tanto como a mí hacerlos. Hasta el próximo.

Caídos del Mapa II
Con un pie en el micro

María Inés Falconi

Ilustraciones
Alejandro Ravassi

Quipu

© María Inés Falconi, 1995
Ediciones Quipu, 1995

18ª edición: 2013

José Bonifacio 2434, Buenos Aires
Tel - Fax: +54 (11) 4612-3440
info@quipu.com.ar
www.quipu.com.ar
@quipulibros
/caidosdelmapa

Falconi, María Inés
    Caídos del mapa II : con un pie en el micro . - 18a. ed. - Buenos Aires : Quipu, 2013
    224 p. ; 14x21 cm. - (Los verdes de Quipu; 2)

    ISBN 978-987-504-028-1

    1. Literatura Infantil y Juvenil Argentina. I. Título
    CDD A863.928 2

Impreso en Argentina
con Papel de Fuentes Mixtas
y manejo responsable.

Caídos del Mapa II

Con un pie en el micro

Capítulo 1

—A mí, eso de que venga una madre al viaje de egresados, me parece un asco —dijo Federico, dibujando con una ramita los escalones de mármol gastado de la entrada de la escuela.

—Nadie dice que no sea un asco —le contestó Paula—. Lo que yo digo, es que si no viene una madre o una maestra con nosotros, a mí no me dejan ir.

—Y bueno, no vayas —bromeó Federico, y riéndose, se tapó la cabeza con los brazos, porque se vio venir una piña de Paula.

—Con la fuerza que tenés para defenderte, yo no sé por qué tu vieja se preocupa tanto...—agregó y se volvió a proteger.

—¡Qué imbécil! —dijo Paula dándole la espalda—. Con vos nunca se puede hablar de nada.

—Es que hablar de "nada" es muy aburrido —la siguió Fede—. ¿Por qué no hablamos de "algo", mejor?

Esta vez tuvo que saltar por arriba de Fabián y de Graciela y salir corriendo, porque "la enana" estaba furiosa.

Como nadie lo corría, volvió al grupo, y de un salto, se sentó en la baranda de la escalera.

Fabián se reacomodó los auriculares y siguió moviendo lo pies y la cabeza al ritmo de la música.

Esa noche, como sucedía desde hacía dos meses cada quince días, los padres de séptimo "A" y "B" se reunían para organizar el viaje de egresados. Al principio, la Directora había pedido que los chicos no fueran a las reuniones "porque mientras los padres hablan, se meten por todos lados y pueden romper algo o tener un accidente". Así decía. Pero los chicos no podían aguantar eso de quedarse en su casa mientras se estaba tratando algo tan trascendental como su viaje de egresados, tema primero, principal y único de ese año, séptimo. En cada reunión, ahí se los veía, como fantasmas silenciosos, control y testigos de los destinos de su propio viaje.

—Paren, hablemos en serio —intervino Graciela—. Hay que pensar una solución. A ver si todavía tenemos que viajar con la Foca.

Federico y Paula dieron un grito de asco. Viajar con la Foca estaba lejos de los planes de todos. De las cuatro maestras que tenía séptimo "B", ésta era las más odiada, sin duda. Odiada por sus gritos, odiada por sus tareas, odiada por sus mapas, odiada por aburrida y sobre todo, odiada por "Foca".

—¿Y por qué no va tu vieja y listo? –le preguntó Federico a Paula.

—¿Estás loco? ¡Para ir con mi vieja prefiero quedarme!

—Es cierto –dijo Graciela–, ir con los viejos al viaje de egresados no tiene nada que ver.

—¿Te imaginás que en medio de la noche tu vieja abra la puerta de la habitación y te diga: "Nene..., tapate que hace frío"? –dijo Fede poniendo tonito de madre.

Todos largaron una carcajada.

—O que empiece a decirte adelante de todo el mundo: "¡Nene, ordená el cuarto...! ¡Doblá la ropa!" –agregó Graciela.

—No, no, mejor: se aparece en el medio del desayuno y te dice: "¡Nena! ¿Por qué no lavaste la bombacha?" Y sacude la bombacha sucia delante de todos –dijo Fede.

—¡Chancho! –alcanzó a decirle Paula mientras se secaba las lágrimas de risa.

—"¡Nena, andá a bañarte!" –dijo Graciela levantando el dedo como lo haría una madre.

—"No te metas a la pileta que hace frío!".

—"¡Ponete la campera".

—"¡No grites!".

—"¡No corras!".

—"¡Sacá los pies de arriba de la colcha!".

Los tres chicos ya ni entendían lo que decían, porque se les mezclaban las palabras con las carcajadas.

—¡Paren que me hago pis! –dijo Paula como de costumbre.

—"¡No te hagas pis encima!" –ordenó Fede levantando el dedo.

Y ya no pudieron hablar más. Paula salió corriendo al baño; Fede se fue deslizando por la baranda, muerto de risa, hasta quedar sentado en la vereda; Graciela, doblada en dos, no sabía si agarrarse el estómago o secarse las lágrimas.

El ruido de las carcajadas había superado la música. Fabián levantó la vista distraído, y al verlos en ese estado, sin sacarse los auriculares gritó:

—¿Me perdí algo?

—"¡Nene..., bajá la música!" –gritaron Federico y Graciela al mismo tiempo agitando el dedo, y reventaron de risa.

Fabián los miró con resignación y volvió a lo suyo.

Un taxi paró frente a la escuela. La mamá de Graciela bajó apurada.

—¿Ya empezó? –les preguntó sin detenerse.

—Si, hace como media hora –contestó Graciela con voz de reproche. ¿Por qué su mamá tenía que llegar siempre tarde a todos lados?

Antes de entrar en la escuela, la señora de Reboledo alcanzó a gritarles:

—¿Por qué no entran? ¡Hace un frío bárbaro ahí afuera!

Pero ni ella esperó la respuesta ni los chicos le contestaron.

En realidad, era cierto: era una noche fría y ellos cuatro eran los únicos que estaban en la puerta de la escuela. El resto de los chicos del "A" y del "B" estaban adentro, las chicas caminando incansablemente por los pasillos agarradas del brazo, los chicos armando picaditos con bollos de papel o deslizándose por el pasamanos de la escalera, deporte absolutamente prohibido durante las horas de clase. Por suerte, ni la Directora ni la Foca, que habían prometido ir esa noche, habían llegado todavía, así que podían andar por donde tenían ganas.

La escuela de noche, sin timbres, ni delantales ni filas, tenía un gusto distinto. Era un lugar misterioso y prohibido, aunque todos los padres estuvieran ahí. Durante el día, a fuerza de esquivar aburrimientos, los chicos se sabían de memoria los agujeritos de las paredes, las rajaduras del techo o las inscripciones de los bancos; pero a la noche, estos mismos lugares eran extraños, casi desconocidos.

Se podía espiar por las ventanas de las aulas a oscuras, iluminadas solamente por una lucecita en el pasillo, con los bancos todos derechitos, con los pizarrones que buchoneaban el último ejercicio hecho a la tarde, los guardapolvos de las maestras desinflados en las perchas y el silencio escalofriante, lleno de crujidos de madera y temblar de vidrios.

La escuela de noche era de los padres, de la Cooperadora, de los maestros; era el lugar donde se hablaba de los chicos aunque ellos nunca se enteraran de todo lo que se decía.

Al pasar por séptimo, donde estaban reunidos los padres, Paula escuchó un griterío. Se quedó un segundo junto a la puerta, para ver si podía pescar algo, pero no entendió ni una palabra. Salió corriendo a la calle a buscar a los chicos y los encontró todavía riéndose.

Capítulo 2

Esa noche, como de costumbre, la reunión de padres había demorado en comenzar porque, a la hora fijada, solo habían llegado unos pocos. Cuando por fin consideraron que había un número aceptable de personas, los coordinadores dieron comienzo a la reunión.

Los coordinadores no eran otros que tres padres que, casi a la fuerza, habían aceptado pertenecer a la "Comisión Organizadora": el señor Domínguez, padre de Claudio, de séptimo "A"; el señor Toronti, padre de Martín, del "B"; y en representación de la Cooperadora, su presidente, el señor Reinoso, padre de Miriam, también del "B".

Cuando ya habían leído los temas a tratar ese día y parecía que la reunión iba a transcurrir tranquila, y sobre todo, rápidamente, una señora gordita, que parecía bastante enojada, pidió la palabra.

—¡Yo no sé por qué los del "A" y los del "B" tienen que viajar juntos! –dijo, poniéndose de pie.

Como una polvareda, un murmullo cubrió de golpe el aula de séptimo.

—¿Ésta quién es? –el padre de Fabián aprovechó para preguntarle a su esposa.

—Es la madre de una de las chicas del "A".

—¿Y ahora que ya está todo arreglado viene a preguntar eso?

Su esposa se encogió de hombros: esta era la cuarta reunión a la que asistía y sabía que la pregunta de la señora no era la única tontería que iban a escuchar esa noche.

Otra madre del "A" se puso de pie y levantó la voz sobre el murmullo general:

—El "A" y el "B" nunca se llevaron bien –empezó a decir–, así que me parece...

Y no pudo seguir, porque alguien la interrumpió indignada:

—¿Quién dijo que nunca se llevaron bien?

—¡Pero, por favor...! ¡Si no se pueden ver! –gritó alguien del "A".

—Mi nena tiene un montón de amiguitas en el otro grado –fue el comentario de una voz no identificada, a la que le respondió, desde la otra punta, otra voz tampoco identificada:

—Por supuesto, mi hijo también.

Pero nadie las escuchó porque nadie escuchaba a nadie.

Los coordinadores pedían en vano un poco de silencio para poder seguir tratando el tema de los fondos, motivo por el cual estaban reunidos esa noche.

—¡Silencio, por favor!

—A ver si podemos organizar un poco la charla.

—Si hablamos todos juntos no nos vamos a entender...

—Por favor, hagan silencio, asi nos vamos más temprano...

Era cierto. Eran las nueve de la noche, hacía ya más de media hora que estaban reunidos y la cosa iba para largo.

De pronto, el padre de Fabián se paró, y poniéndose el índice y el pulgar en la boca, pegó un chiflido que no sólo hizo temblar al pobre San Martín en su cuadro, sino que también, por suerte, hizo cerrar la boca a todo el mundo.

—Gracias –dijo levantando las manos a modo de campeón, y se sentó.

El señor Domínguez le hizo un guiño de agradecimiento y comenzó a hablar:

—Señores –dijo como juntando paciencia–, ésta fue una decisión que tomamos hace más de dos meses, en la primera reunión.

Se escuchó un murmullo de coincidencia.

—Si vamos a cambiar las decisiones que tomamos cada vez que nos reunimos, los chicos van a ir de viaje de egresados en tercer año.

Esta vez se escucharon risas de consenso, la gordita, muy derechita y ofendida, tenía la vista al frente y ni se movía.

—Por otro lado, los mismos chicos decidieron que fuera así –siguió Domínguez.

—¡Mentira! –reventó la gordita–. Porque los chicos del "A" querían ir a Carlos Paz y al final, van a ir a La Falda, como querían los del "B".

—Por favor, yo quisiera... –todas las cabezas giraron hacia el fondo del aula para verle la cara a esa voz desconocida. Era el padre de Federico, al que nadie había visto nunca en ninguna reunión, ni siquiera en la escuela.

—Quisiera –repitió dirigiéndose a la gordita–, que usted me explique cuál es la diferencia entre La Falda y Carlos Paz, porque yo no conozco ninguno de los dos lugares.

—Bueno... Yo tampoco los conozco –contestó molesta la señora, mirando a su alrededor a ver si alguno la ayudaba.

—¿Y los chicos los conocen? –insistió el padre de Fede.

—Bueno... Yo no sé si los conocen...Ellos escuchan hablar... Pero estoy segura de que prefieren ir a Carlos Paz.

—Y si escucharan hablar de Indonesia, preferirían ir a Indonesia. ¡Por favor, señora! Esta discusión no tiene sentido. Creo que podemos seguir adelante –concluyó el padre de Federico dirigiéndose a los padres coordinadores y se ganó el apoyó risueño de muchos y el odio de unos cuantos.

—Bien –retomó la palabra sonriéndose el señor Domínguez–, como estamos todos de acuerdo, quisiera leerles los costos que necesitamos cubrir para poder pagar las becas.

En ese momento se abrió la puerta y la mamá de Graciela Reboledo asomó la cabeza.

—¿Acá es la reunión de séptimo "B"? –preguntó.

—"A" y "B" –le contestaron cortantes como para confirmar que eso ya estaba decidido.

—¡Ah! ¿Cómo? ¿Viajan juntos?

Y la pregunta fue como una bomba que estalló en un griterío infernal, sin que la señora de Reboledo entendiera qué era lo que había dicho de malo.

El señor Domínguez se dio por vencido y se dejó caer en una silla, dispuesto a esperar a que terminaran las discusiones. Pero, lejos de terminar, las cosas se pusieron más espesas cuando la misma señora dijo:

—Esto no es de ahora; este problema viene desde el Jardín de Infantes, cuando ya se comentaba que los chicos del "B" eran más tontitos, y eso creó problemas entre los dos grados.

Fue suficiente: unos se pararon indignados a contestarle a los gritos, otros agarraron sus cosas y empezaron a abrirse paso hasta la puerta.

—¡Eso es cierto...!

—¿Quién dice que son tontos?

—¡Esto es una pavada!

—¡Hablan de envidia!

—Pero si los abanderados siempre fueron del "B".

—Los del "B" siempre tuvieron coronita, porque tienen al Presidente de la Cooperadora...

El señor Domínguez se aflojó la corbata y miró con desesperación a los otros dos. Reinoso estaba visiblemente nervioso; como Presidente de la Cooperadora, era la máxima autoridad en esa reunión, al menos así lo creía, y tenía que dominar la situación de alguna manera. Toronti miraba divertido esa pelea campal, como quien mira un partido de tenis.

—¡Quién me habrá mandado a meterme en esto...! Hubiera sido más fácil organizar el viaje con los chicos. Estoy seguro de que tienen más sentido común –pensó Domínguez y, al girar su silla disgustado, vio como Paula pasaba corriendo por el pasillo.

Capítulo 3

—¡Me parece que adentro se armó un quilombo bárbaro! —venía diciendo Paula—. Están...

Y recién ahí vio a la Directora, que acababa de llegar, seguida dos pasos más atrás por la Foca.

—Buenas noches —saludó la Directora.

—Buenas noches —contestaron los chicos parándose de golpe.

Paula apenas pudo recuperar el equilibrio, con el frenazo que había pegado. Federico pateó a Fabián que no se había enterado de nada. Fabián abrió los ojos, vio a la Directora, se paró de un salto y, sin sacarse los auriculares, gritó un "¡¡¡Buenas noches!!!" tan fuerte, que hasta la Directora se tentó.

—¿Por qué están acá afuera? —preguntó la Foca.

—Estábamos charlando —contestó Graciela.

—Adentro, señores, no es para estar acá —dijo la Foca y, sin esperar respuesta, entró.

Los chicos la siguieron y Federico no perdió la oportunidad de imitarle la forma de caminar.

Cuando entraron en la escuela, se quedaron unos pasos más atrás, esperando que la Foca y la Dire se alejaran, para que Paula pudiera contarles lo que había escuchado.

—¿Qué pasó? –preguntó Federico tironeándole del brazo.

—¡Shhhh! ¡Esperá! –lo hizo callar Graciela.

La Directora iba subiendo la escalera, clavando en el mármol gastado sus tacos finitos y ruidosos, con esos pasitos rápidos que los chicos conocían tan bien. Desde abajo podían ver su cola gorda bamboleándose de un escalón a otro y, atrás, apurada para no perderle el paso, la Foca, flaca y escuálida en su tapadito marrón.

Paula esperó que la Directora llegara arriba antes de hablar, no porque tuviera demasiado para contar, sino porque le encantaba que todos estuvieran pendientes de ella, sobre todo, Federico.

—¡Dale, contá! –la volvió a apurar Fede.

—¿Vieron que yo fui al baño...? –empezó Paula.

—Sí, ¿y...?

—¿Y vieron que para ir al baño hay que pasar por la puerta del grado...? –siguió.

—Sí, nena, ya sabemos.

—Entonces yo pasé dos veces: una para ir y otra para volver –dijo Paula.

—¿Y eso qué importa? –se impacientó Federico.

—Que si pasaba una sola vez se quedaba en el baño y todavía estaba ahí –bromeó Fabián, pero nadie le festejó el chiste.

—Déjenla contar –la defendió Graciela.

—Bueno, la primera vez que pasé, no pasó nada...

—Hacela corta, ¿querés? –interrumpió Fede.

—Pero la segunda vez... cuando volvía...

—Del baño... –acotó Fabián, dispuesto a molestar a Paula–. Porque no sé si saben que Paula fue al baño y pasó por la puerta del grado dos veces: una para ir y otra para venir.

—¡Dejame contar! –se enojó Paula.

—Estaba tratando de ayudarte... por si no te entendían –bromeó Fabián.

—Yo no necesito ayuda.

—Bueno, ¿querés contar qué pasó de una vez? –casi gritó Fede.

—Sí, pero me interrumpen todo el tiempo... Bueno, cuando volvía del baño, volví a pasar por la puerta del grado y escuché...

—¿Qué?

—Que había un quilombo bárbaro.

—Sí, pero ¿qué decían? –preguntó Federico furioso.

—No sé qué decían; hablaban todos a los gritos y no se entendía nada.

—¿Y para decir eso tanto lío? –se enojó Federico.

—¡Es que parecía que se iban a agarrar a las piñas, te juro! –trató de justificarse Paula.

Graciela salió a defenderla.

—Vamos arriba a escuchar –dijo.

—Nos van a sacar corriendo... –contestó Paula.

—No vamos a entrar, nena; nos sentamos afuera y escuchamos –dijo Fabián.

—Pero desde afuera no se escucha nada, tienen todas las ventanas cerradas –insistió Paula.

—¿Pero no dijiste que estaban a los gritos? –dijo Fede.

—Sí, pero...

—Dale, vamos –y Federico se puso en camino. Los otros tres lo siguieron.

Cuando llegaron a la puerta del grado, comprobaron que, efectivamente, no se escuchaba nada. Todos adentro parecían muy tranquilos, conversando.

—¿Y el quilombo? –preguntó Fede que tenía ganas de ver correr sangre.

—¡Qué se yo! Se habrán tranquilizado cuando entró la Dire.

Los chicos se sentaron en el suelo, pegados a la puerta, para poder escuchar sin ser vistos.

Paula había adivinado: la llegada de la Directora a la reunión había calmado los ánimos.

La Directora estaba sentada en una silla junto al pizarrón y la Foca, por supuesto, sentada a su lado, apretando en la mano el infaltable pañuelito que le permitía cubrirse la boca cuando le daba tos.

Y la tiza del aula, seguro, le daba tos.

—¿Podrían abrir un poco la ventana, por favor? –pidió–. Gracias.

Alguien abrió una ventana y los chicos se pusieron abajo para escuchar mejor.

El que estaba hablando en ese momento era el señor Reinoso, el padre de Miriam. Federico lo imitó en mudo y los chicos se taparon la boca para que no los escucharan reírse.

Desde que había llegado la Directora, el señor Reinoso se había sentido en la obligación de tomar las riendas de la reunión. Hasta ese momento, había tratado de mantenerse al margen: ¡Él estaba para cosas más importantes, caramba! ¡Qué tanta pérdida de tiempo por el viaje de los chicos!, pensaba. ¡Había que buscar un buen hotel, que les diera bien de comer, con cuatro o cinco excursiones por la sierras y listo! Y el que lo podía pagar viajaba, y el que no, se quedaba en su casa, como siempre había sido. Ahora se había puesto de moda esta novedad de que los mocosos se tienen que ir de viaje todos juntos. Y es todo un problema. Él sabía muy bien cómo eran las cosas: la Directora, como siempre, se iba a lavar las manos, porque esto era asunto de los padres; los padres, que ni siquiera sabían educar a sus hijos, mucho menos iban a saber organizar un viaje para cincuenta chicos; y al final, la que se tenía que hacer cargo de todo era la Cooperadora, y como siempre, él, que era el Presidente y el único que trabajaba ahí adentro.

Ya sabía que este año no se salvaba, porque Miriam estaba en séptimo. Él había tratado de convencerla para que no fuera. Hasta le había prometido un viaje a Disney si se quedaba. Pero esta chica era testaruda, igual que la madre. Quería ir a toda costa... ¡Y con lo mal que la trataban sus compañeros! Había sido un error dejarla en este colegio. Claro, a esa altura del año no había podido conseguir vacantes en otro lado, que si hubiera sido por él, Miriam ya estaría en la escuela de monjas. Por supuesto que no era Miriam la que se tenía que ir: eran esos cuatro revoltosos...Pero esa Directora, también, nunca tomaba las medidas que tenía que tomar. En fin, ahí estaba, y mejor decirle a éstos lo que tenían que hacer, así se podría ir a cenar de una vez. Y de paso, que la Directora se diera cuenta de que acá estaba de más; que ella se ocupara de los maestros, que bastante mal enseñaban, que de la plata, él sabía ocuparse muy bien.

Así que, aprovechando el silencio que se produjo con la entrada de la Directora, el señor Reinoso se puso de pie y empezó a dirigir la reunión, como si nada hubiera pasado. Para empezar, leyó una interminable lista de números, cuentas y cálculos que nadie escuchó, y terminó diciendo:

—Y tenemos que recaudar esa cifra antes del primero de octubre.

—Perdón –interrumpió la Directora, para el disgusto de Reinoso– ¿Cuándo viajan los chicos?

—No sabemos aún el día exacto –le contestó Domínguez–, pero salen entre el 15 y el 17 de octubre.

—¿Entre el 15 y el 17 de octubre? –preguntó una madre.

—En eso habíamos quedado.

—Pero...¿y los chicos que tienen que dar el ingreso? –insistió la madre, sentándose en la punta de la silla, como para empezar la batalla.

—En general, el ingreso se rinde en noviembre o diciembre, por eso elegimos esta fecha –le contestó Domínguez con paciencia y cortesía.

—Bueno, en algunos colegios se da en octubre... –insistió la señora.

—Ese sería un caso excepcional –le contestó Domínguez–. Si algún chico da el ingreso en octubre, lo avisa con tiempo y sólo tenemos que correr la fecha unos días.

Fin de la discusión, pensó Domínguez, pero se equivocó: ese ejército tenía más de una luchadora y otra señora se acomodó en la puntita de la silla y abrió la boca.

—Yo no estoy de acuerdo con que los chicos viajen antes de dar el ingreso porque después del viaje, ¿quién los hace estudiar? –dijo.

Tampoco era un ejército de dos: eran un montón, porque inmediatamente se escuchó un murmullo de aprobación...¡Y la Foca estaba entre ellos!

—Eso es cierto –asintió la Foca–. Después del viaje se ponen insoportables y no hay quién los pare.

Ellos piensan que se terminaron las clases. Yo creo que tienen que viajar en diciembre.

Eso fue lo último que los chicos pudieron escuchar con claridad. Después, comenzó la batalla.

Todos los padres empezaron a hablar al mismo tiempo y ya no pudieron entender lo que decían.

—Te dije que había quilombo –le dijo Paula a Fede, contenta de poder comprobar lo que había visto.

—También... ¿para qué viene la Foca a las reuniones? ¡No tiene nada que ver! –dijo Graciela.

—¿Qué hacen acá?

Era la voz de Miriam, parada junto a ellos, casi pisándolos. Los chicos levantaron la vista con odio.

—Estamos tomando sol, ¿no te das cuenta? –le contestó Federico, estirándose todo, como si estuviera en la playa.

—Sí. Es por el agujero de ozono –siguió Fabián–. Recomiendan tomar sol de noche y en lugares cerrados. Correte que me hacés sombra.

—¡Qué estúpidos! Están espiando –dijo Miriam sentándose en el suelo junto a las chicas.

—¡Oh! ¡Qué astuta! ¿Cómo te diste cuenta? –se burló Fabián.

—Es que, aunque no lo creas –le dijo Fede a Fabián, como para que Miriam lo escuchara–, últimamente parece que está más inteligente. Debe de estar tomando vitaminas.

Fabián se rió y Miriam se tiró sobre las chicas para alcanzarlo con un pellizcón que Fabián esquivó.

—¡Pará! –le gritó Paula, apartándola.

—Déjenla tranquila –les pidió Graciela–. Si empieza a hinchar nos van a rajar a todos de acá.

En eso se escuchó un chillido que los hizo sobresaltar.

—Mi viejo, te apuesto –dijo Fabián, y se incorporó para espiar por la ventana.

Efectivamente, el padre de Fabián había salido en ayuda de Domínguez para poder continuar con la reunión, pegando un chiflido que, otra vez, hizo callar a todos.

La Foca no podía creer lo que acababa de ver. Con razón los chicos son unos maleducados, pensó, con estos padres...

Domínguez retomó la reunión. Los chicos también se callaron para poder escuchar.

—La fecha de octubre ya está fijada con la empresa y les recuerdo que la pusimos todos de común acuerdo. ¿Podemos pasar a los fondos?

—Perdón... –dijo una señora con una vocecita muy suave.

No podemos pasar a los fondos, se contestó Domínguez a sí mismo, resignado.

—Sí...

—Eso quiere decir... –la señora había sacado de la cartera un almanaque, que miraba pegándoselo a la nariz mientras hablaba–, que los chicos saldrían un lunes...

—Efectivamente –le contestó Domínguez, también consultando un almanaque–. Un lunes 15, un martes 16 o un miércoles 17.

—Bueno –siguió la señora de voz suave todavía mirando el almanaque para apoyar sus argumentos–. Yo creo que es mejor que salgan un sábado, así el sábado siguiente ya están de vuelta y una tiene tiempo, en el fin de semana, de lavarles la ropa que traigan sucia...

El padre de Fabián se retorció en la silla entre furioso y aburrido.

—¡No lo puedo creer! –le dijo a su esposa– ¿No van a dejar de hablar pavadas?

—¡Pero si salen un sábado no hay tiempo de preparar nada! –contestó otra madre.

—Bueno –bromeó el padre de Fabián con su mujer–, contando desde ahora, tienen como tres meses para planchar la ropita.

—La señora tiene razón –intervino la Foca, que si bien no tenía ropa que planchar, desde ahora estaba sufriendo lo que iban a ser los días anteriores y posteriores al viaje–. Si los chicos vuelven un lunes... ¿El martes quién los aguanta en la escuela? Hay que pensar que después queda toda la semana de clase por delante.

—Yo, en realidad, creo que el mejor día es el jueves –intervino otra señora–, porque así, con el fin de semana en el medio, no se nos hace tan largo. ¡Yo extraño tanto!

—¡No, un jueves no! –saltó otra dándose vuelta para contestarle a la fanática del jueves–. Porque Gustavito se pierde la clase de taekwondo, y a fines de octubre tiene torneo.

—Perdón... –dijo el padre de Federico–. Yo, los jueves a las diez y catorce, saco a pasear al perro... ¿Podrían salir a las diez y quince...?

Los chicos se revolcaron de risa debajo de la ventana.

—Ése es mi viejo –dijo Fede, todavía riéndose.

—¡¿Tu viejo?! –se asombró Miriam.

—Sí, nena, ¿qué te hacés la sorprendida? Es una reunión de padres, ¿no? –le contestó Federico a la defensiva.

—Sí, pero como tu papá nunca aparece por la escuela...

—¿Vos qué sabés? ¡¿Vivís en la escuela?!

—No..., pero mi papá dice que la Foca siempre se queja porque no puede hablar con tu papá de tu mala conducta.

—¡Tu papá qué sabe, nena!

—Te recuerdo que mi papá es el Presidente de la Cooperadora, y que las maestras le cuentan todo lo que pasa –se mandó la parte Miriam.

—Tu papá es el presidente de los mentirosos.

—¡Vos a mi papá no le decís mentiroso! –saltó Miriam.

—¡Paren, che, que no dejan escuchar! –los frenó Graciela que sabía cómo terminaban estas peleas.

Federico se calló. Sabía que Miriam tenía razón, que su papá nunca venía a la escuela, ni a las reuniones, ni a los actos, ni a nada. Un montón de veces se había enojado con él por ese motivo. Anoche mismo; por eso hoy su papá estaba acá. Al final, Federico sabía que era porque trabajaba mucho... y encima esta tonta venía a decir estupideces.

Miriam no fue la única que se asombró de ver al padre de Federico. También la Foca se quedó con la boca abierta. ¡Por fin lo conocía! Ahora se daba cuenta de quién sacaba Federico tanta grosería. No, si ese chico no tiene solución, pensó la maestra.

La discusión por el día de la salida se había frenado, aunque, por supuesto, sin que se pusieran de acuerdo. Los chicos escucharon al señor Domínguez que decía:

—Señores..., ¿por qué no discutimos las actividades que vamos a realizar para recaudar fondos? La señora Directora vino para eso, si no me equivoco.

—Efectivamente —sonrió la Directora.

—Bien, entonces —se paró Reinoso, nuevamente con el papel en la mano—, les voy a leer las cuentas...

—Ya las leyó antes, Reinoso —sugirió Domínguez.

—Bueno, yo creo que es necesario tener en claro cuánto dinero se necesita, para que después no se sospeche...

—Como usted quiera.

Reinoso echó una mirada triunfal a la Directora. Él sí que sabía manejar una reunión.

—Bueno, tenemos un total de 48 chicos que viajan... –comenzó Reinoso.

—Bueno, –dijo la madre de Paula– eso todavía no es seguro.

—¿Perdón? –contestó el señor Reinoso que no la había escuchado.

—Digo que la cantidad de chicos no es segura, porque, por ejemplo, yo todavía no sé si voy a dejar ir a Paulita y, como el mío, debe haber otros casos.

—Bueno –le contestó Reinoso de muy mal modo–, ya va siendo hora de que se decida, ¿no le parece?

—Bueno, es que si yo no sé quién es la persona mayor que viaja con los chicos, no puedo decidir nada. Y eso todavía no se resolvió.

—¿Qué les dije? –susurró Paula acomodándose para escuchar mejor.

—Muy bien –dijo Reinoso disgustado–. Pasemos a ese tema –y se sentó.

Capítulo 4

—¡¿Para qué habló?! ¡¿Para qué habló?! –decía Paula tapándose la cabeza con los dos brazos.

—¡Yo no quiero que vaya ninguna persona mayor! –dijo Graciela– ¡Así no tiene gracia! ¡El viaje va a ser un plomo!

—Yo sí que quiero –se metió Miriam–. Después de todo, si nos pasa algo, por lo menos tenemos a quién quejarnos.

—¿Qué va a pasar?

—Qué sé yo... que la comida sea asquerosa, o que no alcance... –contestó Miriam.

—¡Qué te importa la comida! ¡Si no vas para comer! –le dijo Federico.

—¿Quién te dijo que la gorda no va para comer? –le contestó Fabián.

—¡Estúpido! –le gritó Miriam– ¡Yo quiero ver cómo te ponés si te roban el mp3, vos que no podés vivir sin ese aparato en la oreja!

—¿Quién me va a robar el mp3? Además si me lo roban, ¿qué? ¿La madre que esté con nosotros va a hacer una investigación? ¿Quién va a venir con nosotros, Sherlock Holmes?

—¡Qué idiota sos! Con vos no se puede hablar —y diciendo esto, Miriam se levantó para irse.

—¡Qué tarada! —comentó Fabián—. Cada día está más insoportable.

—Yo no voy nada y listo —dijo de repente Paula, levantando la cabeza.

—¿A dónde no vas? —le preguntó Graciela.

—Al viaje.

—¿Vos estás loca? ¿Por qué no vas a ir al viaje?

—Porque así pueden ir sin ninguna madre. Si yo voy, mi vieja va a seguir hinchando con eso.

—Primero, que no es sólo tu vieja la que quiere que vaya una madre; hay un montón de padres que piensan lo mismo. Y después, que o vamos todos, o no va ninguno —dijo Federico muy serio.

—¡Ah, sí!... Se van a quedar todos sin viaje porque a mí no me dejan ir...¡Dale!

—¡Sí! —contestaron todos al unísono.

—Igual, aunque vaya una madre no nos va a arruinar el viaje —dijo Fabián—. Ya sé que es un plomo, pero no le damos bola y listo.

—Sí, pero a mí me parece que nosotros tendríamos que defendernos...no sé... decir lo que pensamos. Después de todo, es nuestro viaje y ya no somos nenitos de primero... —dijo Graciela, que por un momento temió que todos apoyaran a la madre de Paula.

—Entonces entremos y se lo decimos —dijo Federico amagando a pararse.

—¡Pará! –dijo Graciela volviéndolo a sentar de un tirón– ¿Cómo vamos a entrar?

—Por la puerta –le contestó Federico.

—¡Qué tonto! Ya sé que por la puerta...

—También podría ser por la ventana, pero no quedaría muy bien –bromeó Fabián.

—Córtenla, que se va a terminar la reunión –apuró Fede–. Yo creo que hay que entrar y decir lo que pensamos.

—Pero... ¿quién habla? –dudó Graciela.

—Yo no entro –dijo Paula– ¡A ver si es peor!

—¡No sean tontas! –se enojó Fede– ¿Qué puede pasar? No vamos a hacer nada malo; sólo vamos a decir lo que queremos.

—¿Y quién te dijo que eso no es nada malo? –agregó Fabián.

—Cortala de una vez, estamos hablando en serio –lo cortó Fede.

—Yo también estoy hablando en serio; cada vez que los chicos decimos lo que pensamos, no nos dejan hablar y, al final, hacen lo que ellos quieren.

—Bueno, con intentarlo no perdemos nada –se decidió Graciela.

—Vamos –volvió a apurar Federico.

—Pará, mejor le avisamos a los demás, porque si vamos nosotros solos, sí que nos van a reventar –aconsejó Fabián.

—Yo no pienso entrar –les avisó Paula.

Pero nadie le dio bolilla. Los otros tres ya se habían ido a buscar al resto de los chicos.

—Yo creo que es una inconsciencia dejar que chicos de doce años viajen solos tan lejos —estaba diciendo la madre de Paula, cuando la puerta del aula se empezó a abrir despacito.

Todos giraron las cabezas para ver quién entraba. Por la puerta entreabierta asomó la cara de Roxana, la de Federico y la de Graciela.

—Afuera chicos —dijo Reinoso–, que estamos hablando.

Los tres chicos se miraron. Los de atrás se apretujaban porque querían oír qué pasaba.

—Queríamos decir algo —dijo Roxana.

—Después, cuando termine la reunión —dijo Reinoso.

—Es que queríamos decir algo "en" la reunión —insistió Roxana.

—A ver, pasen —dijo la Directora, levantándose para dejar libre el paso.

Antes de que se hubiera corrido, los chicos se empujaron adentro, hablando entre ellos, riéndose nerviosos, tropezándose como una tropilla a la que de golpe le hubieran abierto la puerta del corral. Los de atrás empujaban para no quedarse afuera, los de adelante se frenaban para no terminar a upa de Reinoso. Paula, detrás de todo, solo asomó la cabeza por la puerta.

Tardaron un tiempo en calmarse, plagado de "¡shhh!, "paren", "cállense" que lo único que lograba era aumentar el bochinche al que se sumaban los no menos ruidosos comentarios de los padres.

Reinoso estaba furioso. ¿Cómo se le ocurría a la Directora dejar entrar a los chicos a la reunión? Eso sí que era no tener la menor idea de cómo manejarlos.

La Foca, desesperada por la indisciplina de sus alumnos, empezó a pedir silencio a los gritos, como de costumbre, pero nadie le llevaba el apunte. La Directora, viendo el estado de desbande general, decidió tomar cartas en el asunto.

—A ver, chicos, si se ordenan un poco y hablan de a uno –dijo.

Los chicos se fueron callando. Después hubo que esperar a que se callaran los grandes. Cuando más o menos se había logrado un silencio aceptable como para empezar a hablar, del medio del grupo de los chicos, salió un estruendoso ruido a "cuete" hecho con la boca que provocó una risotada general.

—Chicos –dijo la Directora–, pidieron permiso para entrar, porque se supone que tienen algo importante que decir. Los dejamos entrar porque lo que ustedes piensan nos interesa y creemos que ya son lo suficientemente grandes como para poder opinar. Entonces demuéstrenlo y sepan ubicarse.

Esto terminó definitivamente con los murmullos.

—Bueno, ¿qué quieren? –preguntó Reinoso de muy mal modo.

Los chicos se miraron. ¿Quién hablaba? Nadie se animaba a empezar. Se codeaban unos a otros para mandarse al frente. Finalmente, Roxana, clavándole las uñas en el brazo a Graciela, se animó.

—Bueno... –empezó–. Yo... digo nosotros... todos nosotros, no... quiero decir algunos... que nosotros...

A esa altura del tartamudeo, los chicos se echaron a reír.

—Chicos... –llamó la atención la Directora.

—Bueno, lo que quiero decir es que este es nuestro viaje –dijo finalmente Roxana cuando dejó de reírse, y la codeó a Graciela para que siguiera.

—Bueno, nosotros estuvimos hablando –siguió Graciela–, porque no queremos que ningún padre venga al viaje.

Silencio total. Ni un sí ni un no salió de la boca de los padres.

—No es porque así podemos hacer más lío –se apuró a aclarar Matías– porque si queremos hacer lío, aunque haya un padre, lo podemos hacer igual... Es porque es el viaje de egresados.

—Claro –agregó Graciela–, si viene un padre es cualquier cosa, como las vacaciones, no sé.

—Además –siguió Matías–, los coordinadores que vienen con nosotros nos cuidan y si hay algún quilombo...

—¡Bestia! —se escuchó por atrás, y todos se rieron.

—Digo... si hay algún lío —retomó Matías—, no sé, podemos llamar por teléfono y listo. Pero no va a pasar nada.

—Además... —agregó Roxana— No es justo para el hijo que va a tener que ir con su mamá o con su papá. Nadie quiere, ¿no es cierto?

—¡Noooo! —dijeron los chicos a coro.

—Yo creo —saltó la señora gordita que había armado la pelea al comienzo de la reunión—, que este es un plan de los chicos del "B". No creo que los del "A" estén de acuerdo.

Los chicos del "A" contestaron todos al mismo tiempo que por supuesto que estaban de acuerdo: ellos tampoco querían en el viaje a una madre de su grado.

Esto dejó muda a la señora, a quien no le quedó otro remedio que sentarse calladita, no sin antes comentar, que era como ella decía: "A" y "B" tenían que viajar separados.

—Yo creo que los chicos no tienen que opinar —dijo una madre.

Fabián le dio un codazo a Federico. Ya se lo había avisado, no los iban a escuchar. Federico miró a su papá justo en el momento en que se estaba tapando un bostezo con la mano. Su papá le hizo una seña desesperada: lo único que quería era irse, y cuando llegaran a casa lo iba a estrangular por haberlo hecho venir a perder el tiempo en esa reunión. Federico se rió. No importa que esté enojado, pensó, por lo menos está acá.

—...Y los chicos no tienen experiencia para saber lo que les puede pasar –estaba diciendo alguien a quien apenas se escuchaba, porque grandes y chicos estaban haciendo sus propios comentarios.

La Directora intervino:

—Permiso –dijo a los padres coordinadores–. Creo que somos demasiados para poder ponernos de acuerdo. Chicos, sus papás ya escucharon lo que ustedes piensan y, por supuesto, lo van a tener en cuenta. Yo les pido que ahora vayan afuera y dejen que ellos tomen una decisión más tranquilos.

Los chicos protestaron. Ya sabían que iba a pasar esto y ya sabían, también, lo que iban a decidir: que fuera una madre. ¡¿Pero cuál?! Ésa era la pregunta terrible.

—Vamos, chicos –insistió la Directora al ver que no se movían.

Los chicos empezaron a salir. Claro que esta vez, todos se quedaron pegados a la puerta, pero gritando tanto, que no pudieron escuchar lo que siguió.

El padre de Fabián tomó la palabra:

—Creo que no tiene sentido seguir discutiendo –dijo–. Lo que tenemos que hacer es una votación.

Se aceptó la moción. Domínguez preguntó:

—¿Quiénes quieren que los chicos viajen solos?

Algunos padres levantaron la mano. Domínguez contó: eran quince.

—Ahora –dijo– ¿Quiénes quieren que vayan acompañados por una madre o un padre...?

Volvió a contar, aunque a simple vista se daba cuenta de que eran mayoría: veinticinco.

—Bien –dijo elevando la voz sobre el murmullo que había producido el resultado de la votación–. Esto quiere decir que ahora tenemos que decidir quién viaja con los chicos.

—Yo creo que es más rápido –dijo el papá de Fabián–, si preguntamos quién quiere viajar.

—Está bien –aceptó Domínguez–. Levante la mano el que quiere, o mejor dicho, el que puede ir.

Ninguna mano se levantó.

Capítulo 5

A la mañana siguiente, los chicos de séptimo se fueron amontonando en la puerta de la escuela.

—¿Te enteraste? —era la primera pregunta que se hacían al verse.

—¿De cuál de las dos cosas? —era la respuesta.

Porque tenían dos noticias, una buena y una mala. La buena era que los padres habían organizado un baile para recaudar fondos; pero la mala era tan mala, que de la buena nadie hablaba.

Estaban furiosos, estaban desconcertados, estaban asombrados, estaban de cualquier forma menos contentos.

La noticia era repetida una y otra vez. Decisión irrevocable, habían dicho los padres. Pero nada: decisión irrevocable.

De la noche a la mañana, el viaje de egresados se había transformado en una pesadilla sin solución.

Los chicos de séptimo estaban sentados en los escalones de la escuela. Algunos se reunieron en la vereda. Ni el reloj que daba las ocho ni el frío ni siquiera el timbre los hacía entrar. Los chicos de los otros grados les pedían permiso para pasar o, simplemente, les pasaban por arriba.

Todo daba lo mismo porque una sola cosa les preocupaba: la decisión irrevocable.

Sonó el segundo timbre.

Cuando la Directora fue hacia la puerta para llamarlos, se cruzó con Miriam, que como la había visto venir, se había parado de un salto para entrar en la escuela antes que los demás.

—Buenos días, señora —dijo Miriam.

—Buenos días —contestó la Directora sin detenerse.

Miriam caminó derechita unos pasos más, y se dio vuelta para no perderse el reto que iban a recibir sus compañeros por quedarse afuera. Pero no hubo reto. La Directora se asomó y simplemente les dijo que había tocado el timbre. Los chicos, sin ningún apuro, arrastrando los pies, las mochilas y hasta la cara por el piso, fueron entrando. La Directora, parada junto a la puerta, los miraba pasar uno a uno. Sabía por qué estaban así, pero no estaba en sus manos hacer nada que pudiera cambiar las cosas. Se quedó ahí hasta que el último estuvo adentro, recibiendo de los chicos, un saludo, que más que saludo era gruñido.

Séptimo formó. Toda la escuela estaba esperando. Extrañamente, esa mañana no hubo que pedir silencio: nadie hablaba. La Foca estaba feliz, adoraba el silencio de sus alumnos y estaba muy lejos de darse cuenta del malhumor que tenían; mucho menos hoy, con esa noticia que la tenía tan contenta.

Después de izar la bandera, los chicos subieron al grado sin dejar de arrastrar los pies y las mochilas, que arrojaron con desgano sobre los bancos. Solo Miriam estaba sentada muy derechita, con la carpeta lista para empezar a trabajar cuando la Foca entró en el aula.

—¿Cómo les va? –preguntó, en vez de su consabido "Buenos días, chicos".

Los chicos se miraron con asombro. Por supuesto, a nadie se le ocurrió contestar ni bien ni mal. Automáticamente, como todas las mañanas, se pusieron de pie y saludaron:

—Bue-nos-dí-as se-ño-ri-ta –y se dejaron caer sobre el banco nuevamente.

—Bueno, alumnos –dijo la Foca dejando ver sus dientes sobresalidos en una amplia sonrisa–, quería decirles que estoy muy contenta de poder acompañarlos al viaje de egresados–. Y tapándose la boca con su pañuelito, tosió, como siempre.

Cuando dobló el pañuelo y lo guardó en el bolsillo del delantal, los chicos pudieron ver que la sonrisa todavía seguía ahí. Era increíble. La Foca jamás sonreía... ¿Sería humana a pesar de todo?

—Creo que la prefiero enojada –le dijo Federico a Fabián por lo bajo.

—Yo creo que la prefiero lejos –contestó Fabián. Pero el malhumor de Federico no estaba para festejar chistes.

Y como un chiste, como una película de ciencia ficción, la Foca...¡perdió toda la hora hablando del viaje!

Jamás había abandonado durante una hora entera sus mapas, ni siquiera durante cinco minutos. Los chicos no lo podían creer. Claro que la Foca hablando del viaje de egresados era tan aburrida como hablando de las costas de África, pero estaban tan sorprendidos, que tardaron en darse cuenta de las barbaridades que había dicho.

El primero en reaccionar fue Federico. Cuando salieron al recreo dijo:

—¿Ustedes escucharon bien? ¡Nos quiere hacer juntar piedritas para analizar el tipo de suelo! ¡Piedritas...!

Eso había dicho realmente: que el viaje era una buena oportunidad para aprender Geografía, ya que podían "vivenciar" lo que decían los libros. Que antes de viajar iban a estudiar la "Región central", topología, hidrografía, flora, fauna y recursos minerales y económicos para poder comprender lo que vieran en Córdoba. Que les iba a dar un cuestionario y una guía de observaciones para ir contestando allá. Que iban a juntar piedras, plantas e insectos para analizarlos cuando volvieran. Que mañana iba a traer una lista de útiles y elementos necesarios que los chicos debían llevar y que enseñar Geografía así, era el sueño de su vida.

—¡El sueño de su vida! –repetía Fabián–. Debe ser terrible: te acostás a la noche, cerrás los ojos

y soñás que vas juntando piedras en una bolsita...
¡la Foca es como Hansel y Gretel!

—A lo mejor, le podemos atar una roca al pie y empujarla al río, y le cambiamos el sueño por una pesadilla –agregó Federico.

—¿A quién van a tirar al río? –preguntó Miriam metiendo la cabeza entre Fabián y Federico.

—¡A vos! –le contestó Federico.

—No che, pará, ¡que si el río se desborda, inundamos la provincia de Córdoba! –agregó Fabián.

—¡Y si te tiran a vos se pudre el agua! –le gritó Miriam en el oído y se fue.

—Lástima que Miriam no se puede hundir porque tiene salvavidas propio –dijo Federico.

Miriam se dio vuelta y le sacó la lengua. Pero Fede y Fabián ya no veían nada, porque se estaban revolcando de risa imaginando a la Foca en el fondo del río y a Miriam flotando en la corriente.

Graciela, que acababa de llegar con Paula, los sacudió.

—¡Paren de reírse! ¿Qué vamos a hacer?

—¿Qué vamos a hacer con qué? –preguntó Fabián secándose las lágrimas.

—Con la Foca –dijo Graciela.

—Atarle una piedra al pie y tirarla al río –contestó Federico.

Y los dos chicos se echaron a reír otra vez.

—¡¡¡Paren!!! –gritó Graciela, ofendida porque no le daban bolilla.

—Dejalos –dijo Paula–, están en graciosos.

Los chicos hicieron un esfuerzo para dejar de reírse.

—Es que tenemos que encontrar una solución –insistió Graciela.

—¡Cortala con la solución! –le contestó Federico, descargando contra ella toda su furia–. No hay solución, las cosas son así. La Foca va al viaje, si te gusta vas y si no, te quedás.

—No seas estúpido –dijo Graciela–. Tenemos que hacer algo.

—Bueno, hacé.

—Digo que tenemos que hacer algo "todos" –repitió Graciela.

—¡Cortala, nena! Todos tenemos que hacer algo, todos tenemos que ir a hablar, todos tenemos que planear, ¡me tenés podrido! Yo pienso ir al viaje igual, si viene la Foca o no viene, no me calienta. Si vos no querés venir, no vengas.

—Sos un egoísta, siempre te re-cortás. Ayer en la reunión nos mandaste al frente, ¡y vos ni abriste la boca! –gritó Graciela.

—¿Qué me decís a mí? –contestó Fede–. No es mi culpa que la Foca vaya al viaje. A mí, mis viejos me dejan ir igual. La culpa es de las tontitas a las que no las dejan ir solas. Así que si querés pelearte con alguien, peleate con Paula.

—Yo no tengo la culpa... –saltó Paula, pero Graciela no la dejó hablar.

—Paula no tiene nada que ver. Es un problema de todos, no de Paula.

—Bueno, está bien —dijo Federico—, es un problema de todos. ¿Y...? ¿Qué querés? ¿Que me ponga a llorar? ¡Oh! ¡Oh! ¡Qué problema...! —se burló.

—¡No te hagas el tarado!

—¡Vos, no te hagas la tarada! ¿Qué querés hacer ahora? ¿Ir y decirle a la Foca que no queremos que venga? ¿Convencer a los padres uno a uno? No se puede hacer nada. ¿Entendés? Nada. Así que no rompas más —le contestó Federico.

—Sos un mal compañero. ¡Ojalá que vos tampoco vengas al viaje! Vamos —y diciendo esto agarró a Paula de un brazo y se la llevó, mientras Paula miraba hacia atrás a los chicos, como diciendo "es cosa de ella, yo no tengo nada que ver".

—¡¿Yo?! —se quedó diciendo Federico— ¡¿Yo, mal compañero?! ¿Yo...? ¡¿Qué le pasa a esta mina?! ¡¿Se volvió loca?!

Fabián también estaba sorprendido. En realidad no sabía de qué lado ponerse. Graciela, en parte, tenía razón, porque con intentar algo, no se perdía nada. Pero, por otro lado, la cosa no daba para enojarse tanto... Era cierto, estaba loca. ¡Bah...! Como todas las minas, que arman un escándalo por nada. Ya se le iba a pasar.

Lo que Fabián no calculó, fue que así como él se había puesto del lado de Federico, Paula, sin motivo alguno, según él, se había puesto del lado de Graciela y, cuando al entrar al grado, él le convidó un chicle, Paula simplemente le contestó: "Guardátelo", y siguió de largo.

Fabián quedó parado entre los bancos con el chicle en la mano y se repitió: "Ya se le va a pasar". Pero esta vez no estaba tan seguro. Era la primera pelea que tenían, desde que habían empezado a salir, hacía ya como dos meses, aquel día de la rateada.

En realidad, no habían tenido muchas oportunidades de pelearse porque sólo podían verse en la escuela o en alguna fiesta con todos los demás. Ni pensar que los padres de Paula la dejaran salir a algún lado, y la tonta, ni siquiera quería mentir diciendo que iba a lo de Graciela, porque después de la rateada se le había armado un despelote groso. Igual, así estaba bien. Aunque la hubieran dejado salir, él no hubiera sabido dónde ir ni qué hacer. Además, eso de verse todo el tiempo le resultaba aburrido de sólo pensarlo. Pero era bueno que Paula fuera su novia. Era raro. Le daba ganas de llegar a la escuela todas las mañanas. Le gustaba que ella se diera vuelta a mirarlo cada vez que pasaba algo. Le gustaba sentarse al lado de ella en los recreos, mientras escuchaba su música y pasarle los auriculares de vez en cuando para hacerle escuchar algún tema. Todos los días, en algún momento, se daban algo: una golosina, un dibujo, una revista, cualquier cosa. Hasta ese día en que Paula había rechazado su chicle.

—Se pudrió todo –le dijo a Federico cuando llegó al banco.

—¿Por lo de Graciela?

—¡No, qué Graciela! Se pudrió todo con Paula. No me habla.

—¡Dejalas! ¡Que se mueran! Son unas estiradas. ¡Ya van a venir a pedir algo!

Paula y Graciela no les hablaron en todo el día, aunque de tanto en tanto, no podían resistir la tentación de mirar de reojo para ver qué hacían.

Federico y Fabián, por su parte, tampoco les dieron bolilla y se dedicaron a divertirse con el resto de los chicos del grado. No las necesitaban para nada.

Paula, en realidad, hubiera preferido estar con ellos. Ella no estaba enojada con nadie. Pero no podía dejarla sola a Graciela en esa pelea. Ni ella... ni Miriam, que viendo lo que pasaba, no perdió la oportunidad de meter púa.

—¿Se pelearon? –preguntó asomando la cabeza por sobre el hombro de las chicas, que se sentaban adelante.

—¿Qué te importa, nena? –le contestó Graciela.

—No me importa, pero me doy cuenta –dijo Miriam–. Ustedes están todo el tiempo pegados, hablando en secreto... y ahora ni se miran. Entonces, se pelearon.

Y Miriam se rió.

—Además —agregó—, yo estoy del lado de ustedes... No voy a estar a favor de ese tarado de Federico.

—Nadie te quiere de ningún lado —le dijo Graciela—, así que terminala.

—Depende... Yo sé algunas cosas que te pueden interesar...

—¿Qué cosas? —preguntó rápidamente Paula con curiosidad.

—No sé —dijo Miriam con su tonito insoportable—. Si ustedes no me aceptan de su lado, no les cuento nada.

—¿Cosas de qué...? ¿De Fabián...? —preguntó Paula dándose vuelta en el banco.

Graciela le tiró del delantal porque la maestra la estaba mirando.

—¡Paula! —dijo la maestra. Paula pegó un salto en el banco que hizo reír a todo el grupo—. El pizarrón está adelante —agregó la maestra.

Paula no atinó a contestar. Se había puesto colorada como un tomate y empezó a copiar a toda velocidad lo que la maestra había escrito en el pizarrón. Lo miró a Fabián de reojo, pero Fabián estaba sumergido en su carpeta. En otro momento la hubiera mirado, le hubiera guiñado un ojo o hecho una seña o algo... Los ojos se le llenaron de lágrimas. La maestra borró el pizarrón. Se había quedado sin copiar la mitad de las cosas.

A la salida, cuando formaron, Miriam se les puso atrás.

—¿Y...? –les dijo– ¿Lo pensaron mejor?

—No tenemos nada que pensar –le contestó Graciela.

Paula la miró con desesperación. Ella sí quería enterarse de lo que sabía Miriam. Estaba segura de que era algo que le había dicho Fabián. A lo mejor, un mensaje para ella... Se la llevó a Graciela más adelante.

—Dale, digámosle que sí, ¿qué te importa? –le dijo bajito.

—¡Ay, Paula! ¿No te das cuenta de que nos está chantajeando? No sabe nada. Si ni siquiera habla con los chicos...

—Sí, pero... ¿Si sabe?

—No sabe nada, te digo. Va a inventar cualquier mentira, como siempre.

—Bueno, pero no nos cuesta nada. Nosotras también le podemos mentir. Le decimos que está de nuestro lado y después no le damos bola. Mirá que Miriam se entera de cosas que no se entera nadie.

—Hacé lo que quieras –le contestó Graciela de mal modo–, pero después no vamos a poder sacarnos a la gorda de encima, vas a ver.

Paula no esperó más. Volvió al lado de Miriam que la estaba esperando y le dijo:

—Está bien. Estás de nuestro lado. ¿Qué sabés?

El saludo de la Directora las interrumpió. La fila de séptimo empezó a caminar hacia la salida.

Miriam apuró el paso. Paula también se apuró para no perderla.

—Dale, ¿qué sabés? —le volvió a preguntar cuando la alcanzó.

—Vas a tener que esperar hasta la tarde —dijo Miriam—. Tengo que redondear algunos datos.

Y sin esperar más, salió corriendo por la vereda, dejando a Paula parada en el último escalón, desconcertada y odiándose por haber entrado como una estúpida, en el juego de Miriam.

Capítulo 6

Por la tarde, las cosas empeoraron; las broncas de la mañana que mantenían viva la pelea se habían pasado, pero ninguno quería dar el brazo a torcer, así que los chicos seguían sin hablarse. Para colmo, la idea de que el viaje de egresados se iba a transformar en una clase de Geografía, había borrado de un plumazo todo entusiasmo; y los chicos, que últimamente no hablaban de otra cosa, hoy no tenían ni ganas de mencionar el tema. Para colmo, llovía. La escuela estaba gris, oscura y silenciosa. La tarde parecía transcurrir en cámara lenta, pegajosa y aburrida.

Solo Miriam estaba con todas las pilas. Tenía un plan entre manos y no podía descuidar ningún detalle. La idea se le había ocurrido a la mañana, cuando vio que Graciela y Federico se habían peleado. Ella no había provocado la pelea, pero sí podía hacer que no se amigaran nunca más. El motivo ya lo había pensado, pero tenía que conseguir que el plan funcionara y, para eso, lo primero que debía lograr era que Graciela y Federico confiaran en ella.

Lo de Graciela ya estaba, porque Paula ya había entrado por el aro, y si Paula entraba,

Graciela se iba a enterar de todo lo que ella quería que se enterara. Ahora faltaba Federico.

El plan era perfecto: no solo Graciela y Fede se iban a pelear para siempre, sino que, además, ella iba a pasar a ser la persona de confianza de los dos. Y como persona de confianza, seguro que era más útil que los tarados de Paula y de Fabián. De eso, no tenía ninguna duda.

Cuando llegó esa tarde a la escuela, buscó a María Sol. Estaba arriba, apoyada en la baranda, hablando con Marina. Miriam sacó de su mochila la carpeta de Matemáticas y subió la escalera de dos en dos. Antes de acercarse a María Sol, se cercioró de que Paula estuviera por ahí. También estaba, y, además, la estaba mirando. Todo salía a pedir de boca.

—Necesito que me expliques este problema —le dijo a María Sol, abriendo la carpeta.

—¿Ahora? —preguntó María Sol desganada.

—Sí, por favor. Tenemos Matemáticas en la primera, dale.

—A ver... —María Sol sabía que no tenía sentido oponerse porque Miriam iba a insistir hasta el cansacio.

—Acá no —le dijo Miriam—. Mejor vamos adentro —y agarrando a María Sol de un brazo, la llevó al grado, que en ese momento estaba vacío.

María Sol era una de las chicas más lindas de séptimo. Era la más linda. Tanto, que todos los chicos, desde primer grado, estaban enamorados de ella.

Pero ella nunca le había dado bolilla a ninguno. Parecía más grande que las demás y siempre andaba con ese aire de diosa inalcanzable, que había hecho que, a la larga, los chicos fueran dejando de estar interesados en ella. Eso no quería decir que si María Sol se hubiera dignado a mirar a alguno de ellos, no hubieran aceptado gustosos salir con ella. Pero María Sol siempre andaba con chicos más grandes. Tenía muchos amigos fuera de la escuela, compañeros de su hermana mayor.

El único entre los varones que tenía alguna posibilidad con María Sol era Federico. Y eso Miriam lo sabía. Una vez, hablando de los chicos del grado, María Sol había dicho que con el único que saldría sería con Fede, porque parecía más grande, más "maduro" que los otros, que eran todos unos pendejos insoportables. Además, Federico había tenido una novia del secundario. No era un tontito... Claro, eso no quería decir que estuviera muerta con Federico... ¡Ni por casualidad! Pero mal no le caía. Igual él nunca le daba bolilla a nadie... A la tonta de Graciela, nada más, pero nunca iban a estar juntos esos dos. Eran demasiado compinches.

Miriam también sabía que a Federico no se le cruzaba por la cabeza salir con María Sol. Pero, a lo mejor... Si tenía la oportunidad... Si María Sol estaba al alcance de la mano... Si empezaba a darle bolilla, ahora que estaba peleado con Graciela...

Claro que para eso necesitaban que alguien les diera una ayudita...Y ese alguien era ella: Miriam.

—A ver, dame el problema —dijo María Sol sentándose en un banco.

Miriam le alcanzó la carpeta y mientras María Sol la leía, empezó con su plan.

—¿Viste que ahora Federico es amigo mío?

—¿Tuyo? —contestó María Sol sin levantar la vista del problema.

—Sí. Como se peleó con Graciela, nos hicimos amigos. Era Graciela la que no quería que yo fuera del grupo —mintió Miriam.

—Mmm... —murmuró María Sol, sumergida en ese problema de Matemáticas que ella tampoco entendía.

¿Ésta no me piensa dar bolilla? se preguntó Miriam y agregó:

—¿Y sabés lo que me contó Federico...? —¿Qué?

—Que está muerto con vos.

—¿A vos te contó eso? —preguntó María Sol descreída.

—¿No te digo que ahora somos amigos?

Miriam esperó la reacción. El corazón le latía a mil. De esto dependía que pudiera seguir adelante con su plan.

—No te creo —dijo al fin María Sol.

Va a ser más difícil de lo que pensaba, se dijo Miriam, y volvió a arremeter.

—¿Por qué no me vas a creer? ¿No viste que a Federico le gustan las chicas grandes...? Y bueno, vos parecés mucho más grande que las demás. Por eso está muerto.

—Pero, ¿él te lo dijo?

María Sol había abandonado la carpeta.

¡*Bien! Ya picó*, pensó Miriam.

—Claro que me lo dijo él... ni Fabián lo sabe. Pero vos viste como es Fede... Piensa que si los pibes lo ven en la escuela con vos se va a re-quemar, por eso no te dice nada.

—Y yo también me voy a re-quemar, ¡qué se piensa! –dijo María Sol.

—Lo que tendrían que hacer es encontrarse fuera de la escuela –sugirió Miriam con el tono más inocente que pudo encontrar.

—¿Qué te pasa, nena? ¿Querés que lo llame y le diga que quiero verlo? ¡Vos estás loca!

—Él no te va a llamar. Vos sabés cómo es –dijo Miriam.

—Entonces, lola –dijo María Sol, y se levantó para irse.

—Salvo que se encuentren de casualidad –se apuró a decir Miriam y esto detuvo a María Sol.

—¿Vos que querés decir?

—Digo que, a lo mejor, podemos hacer que esa casualidad exista... Yo puedo ayudar..., si querés –se apuró a decir.

—¿A cambio de qué? –preguntó María Sol con desconfianza.

—A cambio de nada, te juro.

—Vos nunca hacés nada desinteresadamente.

No tenía que dejar que María Sol sospechara:

—Bueno, a cambio de que me hagas los problemas de Matemáticas –se le ocurrió.

María Sol dudó un momento. No confiaba en Miriam, pero si todo sucedía fuera de la escuela, no tenía nada que perder. Además, ¿qué interés podía tener Miriam en todo esto...? No es que Fede le gustara, pero la idea de ver qué pasaba con él la llenaba de curiosidad.

—Está bien. Yo te hago la tarea de Matemáticas, pero si todo sale bien. Si no, olvidate.

—Por supuesto –dijo Miriam entusiasmada–, confiá en mí. Lo más importante es que Federico crea que el encuentro es pura casualidad, que vos no estás enterada de nada, si no se va a borrar.

Y empezó a contarle su plan. Ella iba a hacer, con cualquier excusa, que Federico fuera a la casa de computación que estaba frente a la plaza, a las seis de la tarde. María Sol tenía que estar ahí.

Lo que pasara después, era problema de ellos, pero podían contar con su ayuda todas las veces que fuera necesario.

Cuando los chicos entraron en el grado, ya estaba todo arreglado y Miriam se acercó a la maestra para decirle que había resuelto el problema de Matemáticas.

Todo venía saliendo bien. Ahora tendría que ocuparse de Paula.

—Ya tengo los datos que necesitaba. En el recreo te cuento –le dijo.

Paula se hizo la indiferente, pero en realidad no sabía qué hacer. ¿Qué sabía la gorda? ¿Fabián tendría otra novia? ¿Estaría decidido a pelearse con ella para siempre? ¿O, por el contrario, Fabián le había mandado algún mensaje a través de Miriam? ¿Y si no la escuchaba y después Miriam, en venganza, iba a contarle lo de Fabián a sus viejos? Miriam era capaz de cualquier cosa. Sí, mejor seguirle la corriente, total, haciéndose la ofendida no ganaba nada.

Cuando tocó el timbre del recreo, Paula salió apurada atrás de Miriam.

—Acá no –dijo Miriam haciéndose la misteriosa–. Nos encontramos en el baño.

Paula estuvo a punto de mandarla al diablo, pero no pudo resistir la curiosidad. Esperó un ratito y se metió en el baño.

Miriam todavía no había llegado. Se lavó las manos, se peinó, se volvió a lavar las manos... No quería meterse en los baños, porque si Miriam no la encontraba, por ahí se iba, y no se bancaba una hora más de intriga.

Por fin apareció.

—Primero me tenés que prometer –le dijo Miriam arrinconándola contra la pared– que, por ahora, no le vas a contar nada a Graciela.

—¿Por qué?

—Porque Graciela es nuestra amiga y no quiero que sufra –dijo Miriam poniendo cara de buenita– ¿Me lo prometés?

—Está bien, pero por ahora, nada más –contestó Paula–. Dale, decime qué sabés, que va a tocar el timbre.

—Federico se le va a tirar a María Sol, y María Sol le va a decir que sí.

—¡Sos una mentirosa, nena! Estás inventando cualquier cosa, vos no sabés nada de nada.

—¿Ah, no...? –dijo Miriam sin inmutarse–. Tengo pruebas.

—¿A ver...? ¿Qué pruebas tenés? Mostrá-melas.

—Si querés, las podés ver con tus propios ojos.

—Bueno, mostrámelas te digo.

—No están acá, tontita –dijo Miriam–. Esta tarde. Yo sé dónde se encuentran siempre.

—¿Dónde? –preguntó Paula, que todavía no le creía.

—No te lo pienso decir, nena. ¿Te creés que soy tonta? ¿Que te voy a dar de una todos los datos? No, no, no, no. Si te querés enterar, nos podemos encontrar... digamos seis y cinco, en la plaza.

—No sé si voy a poder, le tengo que pedir permiso a mi mamá... –contestó Paula.

—Eso es problema tuyo. Si querés ver las pruebas, tenés que estar seis y cinco ahí. Si no, te lo perdés.

—Pero... –empezó Paula, cuando la interrumpió el timbre.

—Timbre. Me voy. No es bueno que nos vean juntas. Chau, "amiga".

Antes de salir del baño, dejando a Paula petrificada contra la pared, Miriam se dio vuelta y le recordó:

—Seis y cinco, ni un minuto más, ni un minuto menos.

Cuando Miriam salió del baño, Paula ya sabía que a la tarde iba a estar en la plaza. Tenía que pensar algo para poder salir de su casa y eso era todo un problema, sobre todo, porque no tenía a ninguno de los chicos para ayudarla a inventar una buena excusa. Pero Paula quería saber si Miriam estaba mintiendo o no. Mejor dicho, lo que realmente quería saber era si Federico estaba saliendo con la tarada de María Sol... ¿O sería Fabián el que estaba saliendo con María Sol?

Esta pregunta fue como una puñalada. Miriam era muy capaz de tenerle reservada esa sorpresita. Seguro que era Fabián, por eso no quería que Graciela lo supiera. Seguro que era Fabián.

Paula salió corriendo del baño como para escaparse de esa idea. Entró al aula toda colorada, cuando ya todos estaban adentro.

—¿Dónde estaba, Paula? –preguntó la Foca.

—En el baño, seño –y Paula sintió que todos se habían dado cuenta de lo que le pasaba.

Sintió que la cara le quemaba.

—¿Se siente bien? —preguntó la Foca.

Paula asintió con la cabeza.

—Siéntese, entonces, y póngase a trabajar —dijo la Foca.

Camino a su banco, Paula miró de reojo a Fabián. Estaba leyendo una revista de historietas. Ni siquiera se había dado cuenta de que ella había entrado. Eso es lo que Paula creía, al menos, pero en realidad Fabián había estado mirando todo el tiempo hacia afuera, porque Paula no llegaba al grado. Recién al verla entrar se tranquilizó y rápidamente agarró una revista de historietas para disimular. Si Paula hubiera estado menos nerviosa, se hubiera dado cuenta de que la revista de Fabián estaba al revés.

Capítulo 7

Miriam salió de la escuela brincando de alegría. ¡Era una genia! Todo le había salido como lo había planeado. Casi corrió hasta su casa de tan contenta que estaba. Sabía que María Sol no iba a fallar y Paula, tampoco. Le quedaba el último paso: Federico. El más fácil y el más difícil. Y tenía que esperar como una hora para saber qué iba a pasar.

Miriam no podía contener sus nervios: tomó la leche; al rato se hizo un sandwich de salame y queso; después cruzó al kiosco y se compró un alfajor; prendió el televisor y se sentó enfrente con un paquete de galletitas de un lado y el despertador del otro, para no pasarse ni un minuto del momento exacto en que debía entrar en acción y, por supuesto, miró más el reloj que la tele.

A las cinco y cuarenta en punto, corrió hasta el teléfono y marcó el número de Federico. Sonaba... Miriam respiró aliviada.

—Hola... –atendió Federico.

—Hola, ¿Fede? Soy yo, Miriam...

—¿Qué querés? –Federico no era de las personas más amables del mundo, pero eso le importaba poco en ese momento.

—Tengo un mensaje de Fabián para vos –dijo Miriam yendo al grano.

—¿De Fabián?...

—De Fabián, sí. ¿No es amigo tuyo, acaso?

—Sí. Pero no es amigo "tuyo", así que no creo que te mande mensajes para mí.

—Bueno, escuchá, idiota. Yo te digo lo que me dijo, después vos arreglate y hacé lo que quieras. Dice Fabián que te espera a las seis en la casa de computación que está enfrente de la plaza, que tiene que grabar unos juegos y quiere que lo ayudes a elegirlos y que si no vas, te jodés porque los elige él solo.

—¿Y por qué no me llamó él para decirme todo eso?

—Porque no se pudo comunicar, estúpido. Y mejor que te apures porque Fabián dijo que no pensaba esperarte más de cinco minutos. Chau.

Miriam colgó el teléfono. Era preferible que Federico no le preguntara más. Se puso la campera y salió para la plaza. Quería llegar antes que Paula para evitar que se encontrara con cualquiera de los otros dos. Ahora, había que esperar para ver si Federico había mordido el anzuelo.

María Sol llegó a la casa de computación a las seis menos cinco y se puso a mirar un catálogo de juegos. ¿Habría hecho bien en confiar en Miriam? Por ahí, lo único que quería era divertirse a costa de ella. Pero, ¿para qué? No encontraba ningún motivo.

Y bueno, con esperar cinco o diez minutos no perdía nada.

Paula llegó a la plaza a las seis. Seguía lloviendo y tenía frío. No sabía bien dónde ponerse. Sentía que tenía que esconderse para que no la vieran, pero no sabía de quiénes ni por qué. Si se quedaba ahí parada iba a llamar mucho la atención. Mejor daba una vuelta por la plaza. ¿Habría hecho bien en confiar en Miriam? A lo mejor, lo único que quería era tomarle el pelo y la dejaba plantada. ¡Bah! Esperaba cinco o diez minutos y si no venía, se iba a su casa.

Cuando Paula cruzó la plaza, no vio a Federico que venía caminando apurado, contra el viento, por la vereda de enfrente. Apurado y enojado con Fabián, con Miriam o con él mismo, no lo tenía muy claro. No entendía muy bien por qué al tarado de Fabián le había agarrado esa urgencia por grabar juegos. ¿Habría hecho bien en confiar en Miriam? No, no había hecho bien. Era capaz de hacerlo salir bajo la lluvia nada más que para reírse de él. ¡Qué estúpido! ¿Cómo no se le ocurrió llamar a Fabián para ver si era cierto? Esto era cosa de la gorda, seguro. Pero bueno, ya había llegado hasta ahí, esperaba cinco minutos al enano y si no aparecía, se iba a su casa.

Desde las seis menos diez, Miriam había estado escondida detrás de la pérgola de la plaza.

Desde ahí tenía una visión perfecta de la casa de computación y no podían verla.

Había visto entrar a María Sol, había visto llegar a Paula y la tenía bajo control, y ahí estaba Federico. ¡Bien! Manos a la obra.

Cuando Federico se metió en la casa de computación, Miriam salió corriendo a buscar a Paula. La alcanzó en los juegos.

—¡Rápido, vení! –le dijo, agarrándola del brazo.

—¿A dónde vamos? –preguntó Paula asustada.

—No tengas miedo, nena. Vamos a escondernos para que no nos vean.

Paula la siguió, mirando para todos lados, como si realmente hubiera un ejército de detectives buscándola. Miriam la hizo esconder detrás de la pérgola.

—¿Qué hacemos acá? –preguntó Paula.

—Esperamos –contestó Miriam.

—¿Qué esperamos? –insistió Paula.

—Ya vas a ver, callate –dijo Miriam. Y Paula le hizo caso.

Empezó a lloviznar otra vez, Paula temblaba de frío y de susto. ¿Y si su mamá pasaba por la plaza y la veía ahí? ¿Qué iba a decirle si ni siquiera ella misma sabía lo que estaba haciendo? Le había dicho que iba a llevarle una carpeta a Miriam y, extrañamente, su mamá le había creído. Recordó que tenía la carpeta en la mano y se la guardó adentro de la campera; no era cosa de volver con la carpeta empapada.

Federico abrió la puerta de la casa de computación y echó una rápida ojeada buscando a Fabián. No estaba.

Pidió el catálogo de juegos para ir eligiendo y el pibe que atendía le dijo que lo estaba viendo esa chica, y señaló a María Sol.

Federico no la reconoció. Se quedó parado contra el mostrador con las manos en los bolsillos, esperando que llegara Fabián o que la chica terminara con el catálogo.

María Sol, que ya había visto todo de adelante para atrás y de atrás para adelante como diez veces, se hartó de esperar.

¡Qué me importa!, se dijo. Yo no lo espero más. Y cerró el libraco de un golpe. Al darse vuelta, se topó nariz con nariz con Federico que venía a buscar el catálogo que ella había dejado.

—Hola –dijo Federico fríamente.

—Hola –dijo María Sol, tratando de que le salga fríamente.

Hubo un silencio incómodo, donde ni María Sol se iba ni Federico agarraba el catálogo.

—No sabía que venías –se largó María Sol, sin pensar muy bien lo que decía.

—Yo tampoco –se sonrió Fede.

—¿No sabías que yo venía? –preguntó María Sol asombrada: se suponía que iba a ser una casualidad. ¿Qué había hecho Miriam?

—No, no sabía que "yo" venía –contestó Federico y María Sol respiró aliviada–. En realidad, Fabián me citó acá para elegir unos juegos, por eso quería ver el catálogo.

—Yo también quiero elegir unos juegos –dijo, otra vez sin pensar, María Sol– ¿Te molesta si lo miro con vos?

—¿Pero no lo viste todo recién? –preguntó Fede.

—Bueno, sí..., pero yo mucho no entiendo, ¿viste?... Por ahí vos me podés aconsejar.

—Por mí... –le contestó Federico para que quedara clara su indiferencia.

Se apoyaron en el mostrador y abrieron el catálogo. Federico pasó las dos o tres primeras páginas rápido.

—¿Por qué las pasas así? –preguntó María Sol.

—Porque éstos ya los tengo todos –dijo Fede atento a algo que había visto en el libro.

—¿Y son buenos? –insistió María Sol.

—Son viejos, ¿ves? –Federico volvió a la primera página tan rápido, que María Sol no pudo ver nada.

—Sí, son viejos –afirmó sin tener la menor idea.

De pronto. Fede señaló uno.

—¿Tenés el *Monkey Island*? –le preguntó.

—No.

—Éste te lo tenés que comprar. Está buenísimo. ¿Vos qué computadora tenés?

—No, no tengo computadora —dijo María Sol, mientras pensaba que era una verdadera idiota y trataba de encontrar alguna excusa—. En realidad, me los encargó una amiga de mi hermana.

—¿Tiene el *Bubble-bubble*? —preguntó Federico sin sospechar.

—No sé. Sí, sí, lo tiene. Este otro, ¿cómo es? —preguntó rápidamente para que Federico no la siguiera acosando a preguntas.

—¿El *Super Mario Bros*?

—Sí, ése —dijo María Sol sin tener ni idea de lo que estaba hablando.

—Éste es buenísimo. Es un plomero que tiene que rescatar a una princesa y pasar un montón de trampas. Es bastante difícil. Yo lo gané hace un toco. Si querés te lo paso.

—Claro, buenísimo... ¡Me encantan los de amor...!

Federico la miró raro.

—¿Y este otro cómo es...? —se apuró a preguntar María Sol.

Federico le explicó uno por uno todos los juegos que le gustaban. Y María Sol no entendía un pepino, pero lo escuchaba embelesada, porque le encantaba cómo Fede contaba los juegos, como si fueran una película.

—¿Me podés explicar qué estamos esperando? –le volvió a preguntar Paula a Miriam después de media hora.

—No seas impaciente. Conseguir pruebas no es tan fácil –le contestó Miriam.

—No soy impaciente, pero hace más de media hora que estamos acá, me estoy congelando y no sé para qué. Además, me tengo que ir a mi casa, porque si no, mi mamá va a sospechar algo.

—Esperá un cacho más. Lo que te voy a mostrar es seguro –dijo Miriam.

¿Qué estarán haciendo estos dos tarados ahí adentro?, pensó. *Se supone que a los cinco minutos tenían que salir. Si no se apuran, Paula se va a ir y chau plan, porque nadie me va a creer. Si no salen en cinco minutos, entro y los saco a patadas. ¡Qué imbéciles!*

Federico se había olvidado de la hora, de Fabián, y del motivo por el que había venido. Cuando llegaron al último juego del catálogo, María Sol dijo de golpe:

—Bueno, me tengo que ir.

—Yo también me voy. Fabián ya no viene, seguro. Esto fue una... –Federico se detuvo de golpe.

—¿Una qué...? –preguntó María Sol.

—Nada. Una confusión... eso. Vamos.

Casi mete la pata. No podía decirle a María Sol que había sido tan estúpido como para caer en una trampa de Miriam.

Salieron a la calle. Miriam, en cuanto los vio, le dio un pellizcón en el brazo a Paula.

—¡Pará, nena!, ¿qué haces? –gritó Paula, que no había visto nada.

—Ahí tenés –dijo Miriam señalando hacia la vereda de enfrente–. Te dije que tenía pruebas.

Paula miró, vio a María Sol y a Federico parados frente a la casa de computación... y se quedó con la boca abierta. Una mezcla de odio por la traición, de satisfacción por haberlo descubierto y de miedo de que la vieran se apoderó de ella.

María Sol y Federico empezaron a caminar juntos hacia el mismo lado. ¡Esto sí que Miriam no se lo esperaba! Si María Sol vivía para el otro lado... ¿Adónde iban?

—Vamos a seguirlos –le dijo a Paula tironeándola de un brazo.

—No, pará... Nos pueden ver... –se resistió Paula.

—No seas idiota. Ni sospechan que estamos acá. Además, si nos ven, no tienen por qué pensar que los estamos siguiendo. No hay nada raro en caminar por la calle.

—Se me va a hacer tarde... –insistió Paula.

—No seas tonta, nena. Una oportunidad como esta no hay que dejarla pasar. Además, muy lejos no van a ir. Dale, vamos.

—Pero... eso no está bien...

—Bueno, yo voy –dijo Miriam–, vos hacé lo que quieras.

Y empezó a caminar en la dirección que habían tomado los chicos. Paula dudó un instante.

—¡Esperame! –gritó. Y corrió atrás de Miriam.

Cuando María Sol salió de la casa de computación, escuchó sorprendida que Federico sólo le decía chau y se iba para su casa. Ella esperaba alguna invitación para otro día, alguna cosa un poco más romántica, algo... Pero este Federico o era tímido o era tarado. Ya había llegado hasta acá, y no podía dejar que no pasara nada. Menos, cuando Miriam le había dicho que estaba muerto por ella...

—Ese juego que me dijiste... –dijo María Sol– ¿Lo tenés en tu casa?

—¿Cuál? ¿El *Super Mario Bros*? –preguntó Federico.

—Sí, creo que era ése –le contestó María Sol.

—Sí, mañana te lo llevo.

¡Ufa con este pibe! No se engancha en ninguna, pensó María Sol, pero no se dio por vencida.

—¿Y no puedo ir a buscarlo ahora? –dijo– Lo que pasa es que se lo tengo que llevar a mi amiga hoy.

—Por mí... –contestó Federico. Y juntos empezaron a caminar hasta su casa, seguidos, sin saberlo, por Paula y Miriam que todo el tiempo repetía:

—Acordate de que me prometiste no contarle nada a Graciela.

Estaba segura de que Paula tardaría menos de un minuto en informarle todo a su amiga.

Capítulo 8

Cuando María Sol se fue de su casa, Federico lo llamó a Fabián por teléfono.

—¿Cómo? ¿Tu teléfono anda? –le preguntó en cuanto Fabián lo atendió.

—Creo que es evidente –dijo Fabián.

—Pero..., ¿anduvo toda la tarde? –insistió Federico.

—Que yo sepa... –dijo Fabián–. En realidad, no acostumbro a levantar el tubo cada cinco minutos para ver si tiene tono, tampoco le tomo la fiebre...

—Pero... ,¿vos me llamaste? –lo interrumpió Federico, que quería estar bien seguro, pero sin que Fabián se enterara de nada.

—¡No, chabón! Mi teléfono anda "correctamente", yo no te llamé. ¿Se puede saber qué te pasa? ¿Qué sos? ¿Inspector de la telefónica?

—No, nada –contestó Fede–. Mañana nos vemos.

Y cortó, dejando a Fabián con la impresión de que, esa tarde, el que no funcionaba bien era el cerebro de Federico, no el teléfono.

Federico se tiró en la cama para tratar de ordenar las ideas. ¿Por qué Miriam lo había hecho ir a la casa de computación...? No era una broma demasiado divertida, ni tampoco, digna de la maldad de Miriam. ¿Qué hacía María Sol ahí...? María Sol nunca había parecido interesarse por las computadoras, al menos , eso creía él.

Además...ni siquiera tenía computadora, y si los juegos eran para una amiga, ¿por qué la amiga no había ido también...? ¿Por qué María Sol le había dado tanta bola...? ¿Estaría con él...? Nunca había demostrado nada. No, pensar eso era una estupidez. Además, a él, María Sol no le gustaba. Bueno... más o menos: como fuerte, estaba fuerte, pero tenía moco en la cabeza. Y si realmente María Sol estaba con él, ¿iba a salir con ella...? ¿Y si le estaba tomando el pelo? Iba a quedar como un estúpido. Pero, ¿y si no le estaba tomando el pelo...? Y Miriam... ¿Por qué lo había hecho ir a la casa de computación? Esa pregunta le rebotaba en la cabeza.

Paula llegó a su casa excitadísima. Necesitaba contarle a alguien lo que había visto. Agarró el teléfono y empezó a marcar el número de Graciela, pero en la mitad, colgó. Por ahí, Miriam tenía razón, lo mejor era no lastimarla. Una sensación de furia contra Federico le subió desde las rodillas. ¡Qué guacho! ¡¡¡Con María Sol!!! Es cierto que Federico no salía con Graciela, pero, bueno... siempre había habido onda. ¡Pero con María Sol...!

Con razón se había peleado con Graciela; claro. Ya no quería ser ni amigo de ellas... Como ahora tenía novia... Y seguro que eso era cosa de María Sol. Seguro que María Sol le había dicho que se peleara con Graciela, porque nunca la había tragado. Y el estúpido de Federico le había hecho caso. Tenía que hablar con alguien para confirmar esta historia antes de contarle a Graciela. Fabián: seguro que Fabián estaba enterado de todo.

Paula levantó el tubo... Ahí recordó que estaban peleados. Pero esto era una urgencia; no tenía nada que ver con la pelea... Paula marcó.

—Hola... –dijo Fabián cuando atendió y en ese momento, Paula se dio cuenta de que no había pensado qué iba a decirle, así que se quedó muda.

—¡Hola! –repitió Fabián– ¿Quién habla?

—Paula –dijo Paula. Al menos eso sí podía contestar.

—Ah... –ahora el que se había quedado mudo era Fabián. Lo alegraba que Paula hubiera llamado, pero no estaba muy seguro de si tenía que demostrar alegría o le tenía que cortar el rostro...

Hubo un silencio en la línea.

—Bueno, chau –dijo Paula.

—Chau –dijo Fabián. Y los dos cortaron. Y los dos se quedaron parados junto al teléfono con una espantosa sensación de papelón. Fue Fabián el que se decidió y marcó el número de Paula. Paula atendió al primer llamado.

—¿Paula...?

—Sí.

—Me cortaste –dijo Fabián.

—No, se cortó solo –mintió Paula.

—¿Qué querías?

—No, te quería preguntar... –Paula no sabía cómo empezar– ¿Lo viste a Fede hoy?

—¿Cuándo? –preguntó Fabián.

—A la tarde, después de la escuela...

—No.

—¿Y sabés adónde fue? –siguió preguntando Paula.

—No. ¿Fue a algún lado? –Fabián no entendía nada. Hoy era el día de las preguntas raras. Primero Fede con lo del teléfono. Ahora, Paula averiguando dónde había estado Federico.

—Sí. Bueno, no sé...–se enredó Paula–. Pensé que vos sabías...

—¿Que yo sabía qué?

—Si había ido a algún lado –¡Uy!... en qué lío me metí, pensó Paula.

—No, no sé. ¿Por qué no le preguntás a él?

—¡¿Estás loco?! –mejor corto, pensó Paula. Fabián no me va a decir nada y voy a terminar metiendo la pata–. Bueno, no importa, chau.

—¡Pará un poquito! –la detuvo Fabián– ¿Me querés explicar qué pasa?

—No, nada, chau.

—¡Cómo nada! –se enojó Fabián–. Primero se

hacen las ofendidas, ahora me llamás para saber dónde está Fede... ¿Y me decís que no pasa nada? ¿Se puede saber en qué andan?

—No es problema tuyo —le contestó Paula, dispuesta a colgar.

—Es problema mío, porque vos me llamaste a mí, así que contame.

—Es una tontería... —se apuró a decir Paula.

—Quiero enterarme de la tontería. Y si es una tontería, con más razón me la podés contar.

Paula sabía que Fabián no iba a parar hasta enterarse. Y... después de todo... ¿Por qué no iba a contarle lo que Fabián, seguramente, ya sabía ...?

—Vos ya sabés —dijo al fin.

—¿Ya sé qué? Terminala con los acertijos.

—¡Ay, nene! Que Fede sale con María Sol —dijo Paula haciéndose la canchera.

—¡Qué decís, nena! ¿Estás drogada? —gritó Fabián.

Yo sabía que lo iba a negar, pensó Paula.

—No te hagas el tonto; vos sabés todo lo que hace Fede. Y te aviso que si querían que fuera un secreto, perdieron, porque yo los vi con mis propios ojos.

—¿Los viste dónde? —Fabián estaba realmente sorprendido, aunque Paula creyera que le estaba mintiendo.

—En la casa de computación....

Y Paula le contó a Fabián todo lo que había

visto esa tarde y cómo Miriam la había puesto al tanto de lo que pasaba.

En cuanto Fabián escuchó la palabra Miriam, empezó a darse cuenta de todo.

—Ya sé lo que pasó –le dijo a Paula–. Cortá, pero no te muevas de al lado del teléfono hasta que yo te vuelva a llamar.

Paula cortó. Ahora estaba más intrigada que antes.

Fabián no sabía con exactitud qué era lo que había pasado. Sólo sabía que Miriam tenía algo que ver en todo esto y cuando Miriam estaba en el medio, nada bueno se podía esperar.

Llamó a Federico y, sin respirar, le contó todo lo que sabía: que él, Fede, se había encontrado con María Sol en la casa de computación; que Miriam y Paula los habían visto; que Paula creía que Fede salía con María Sol, pero que Graciela no sabía nada; y que él, Fabián, sospechaba que todo esto no era más que uno de los planes siniestros de Miriam, que no sabía bien de qué se trataba, pero que había que hacer algo.

—¿Podés empezar de nuevo? –fue la respuesta de Federico frente a semejante avalancha de noticias.

Con paciencia, Fabián repitió todo lo que ya había dicho. Recién entonces, Federico empezó a entender. En realidad, tenían más preguntas que certezas, así que lo primero era averiguar qué tramaba Miriam.

Decidieron cuáles eran los pasos a seguir: el primero, hablar con María Sol. Para eso, Federico tenía que pedirle el teléfono a Miriam, así, de paso, también podía sacarle algún dato.

Cuando Miriam escuchó sonar el teléfono, jamás se imaginó que fuera Federico.

—Miriam —le dijo Fede con voz de buenito—, te tengo que pedir un favor... Vos, por casualidad, ¿tenés el teléfono de María Sol?

Miriam casi se cae sentada. ¡No había pensado que todo se iba a dar así, tan bien y tan rápido!

—Sí, claro —dijo, totalmente descontrolada por la alegría—. Te voy a dar el teléfono y te voy a pasar un dato, pero no digas que yo te lo dije.

—¿Un dato?

—Sí: María Sol está muerta con vos.

—¡¿En serio?! —Federico trató de que le saliera una voz de alegría.

—Te juro... No sabe cómo hacer para que le des bola.

—¡Ay, Miriam! ¡Sos divina! —Esto ya es demasiado, pensó Fede—. ¡Me acabás de dar la mejor noticia del siglo!

—Yo no sabía que te gustaba María Sol... —y ahora Miriam no mentía.

—En realidad, es un secreto... ¡Me da vuelta!

—mintió Fede–. ¡Por favor, no le digas nada! Mirá que vos sos la única que lo sabe, ¿eh?

—Quedate tranquilo. Podés confiar en mí.

—Lo que pasa, es que hoy me la encontré de casualidad...

—¿En la casa de computación? –preguntó Miriam haciéndose la inocente y sin darse cuenta de que había metido la pata; ¡¿cómo iba a saber dónde se habían encontrado?!

—Sí, en la casa de computación –le contestó Fede. Era evidente que Miriam tenía algo que ver–. Bueno.. y quedé en llamarla... pero no tengo el teléfono. Dale, pasámelo.

Cuando colgaron, Miriam y Federico daban saltos de alegría: los dos creían haber engañado al otro. Federico estaba en lo cierto, pero Miriam no sabía lo que le esperaba.

Capítulo 9

Al día siguiente, en la escuela, Miriam confirmó que todo salía a las mil maravillas: Graciela y Federico ni se hablaban, Paula cuchicheaba con Fabián por los rincones y después cuchicheaba con Graciela, y Fede... ¡Estuvo todos los recreos con María Sol!

—¿Y...? ¿Te lo transaste? —le preguntó a María Sol cuando la encontró sola en un recreo de la tarde.

—No, todavía no. Pero ayer me llamó por teléfono.

—Sí, ya sé. Yo se lo di —dijo Miriam para hacer notar su intervención.

—No le habrás dicho que yo gusto de él, ¿no?

—¡Ay, nena! ¡Cómo se te ocurre! —mintió Miriam.

—Hoy nos encontramos después de la escuela y estoy segura de que se me va a tirar —le confió María Sol.

—¿Se encuentran después de la escuela? ¿Dónde? —se apuró a preguntar Miriam.

—En el mismo lugar que ayer: en la casa de computación.

—¿Y a qué hora?

—¡Ay nena! ¡Qué te importa!

—Por curiosidad... ¿A qué hora?

—A las seis. ¿Qué...? ¿Pensás venir?

—¿Cómo se te ocurre?

Pero Miriam sí pensaba ir, y pensaba ir con Paula. Lo único que la desilusionaba era no poder ponerle un micrófono a Federico para saber qué decían.

Esta vez, Paula aceptó ir sin problemas, hasta parecía entusiasmada. Miriam no se sorprendió: pensaba que todo se debía a su fantástico plan. Quedaron en encontrarse a las seis en la plaza, como la otra vez. Miriam estaba feliz.

Llegó a su lugar de observación a las seis en punto. Esta vez, la muy ridícula, había traído un largavistas. Si no tenía micrófonos, por lo menos quería ver todos los detalles. ¿Dónde estaba Paula? Paula era fundamental. ¿Por qué no llegaba?

Miriam apuntó el largavistas a la puerta de la casa de computación. Excelente.

A las seis y diez, Paula no había llegado y, lo que era peor, tampoco había visto a Federico ni a María Sol. Seguramente habían llegado antes y ya estaban adentro, pero desde ahí, no se podía ver nada.

Siguió mirando con el largavistas clavado en la puerta del negocio. Tenía la sensación de que ya había pasado mucho tiempo, pero no quería ni mirar la hora para no distraerse. ¿Dónde estaba la idiota de Paula?

¡La máquina de fotos! ¿Cómo no se le había ocurrido? Si Paula no llegaba, hubiera podido sacarle una foto de Fede y María Sol y eso sí hubiera sido una buena prueba. Pero no tenía tiempo de ir a buscarla ahora. Bueno, para otra vez.

Miriam se estaba preguntando por qué no salían de una vez, cuando la sobresaltó la voz de Paula.

—¿Qué hacés?

Estoy esperando que salgan —contestó Miriam sin sacarse el largavista de los ojos—. Llegás tarde.

—¿Que salgan quiénes? —preguntó Paula intencionalmente.

—¡Federico y María Sol, idiota! ¿A quién estamos espiando?

—¡Ah! Claro... —Paula no era buena para disimular, pero Miriam estaba tan entusiasmada, que no se daba cuenta de nada—. Lo que no entiendo bien es para qué los espiamos...

—Para ir a contarle a Graciela con pruebas verdaderas. ¡Dejá de preguntar estupideces!

—Pero vos me dijiste que no le cuente nada...

—Antes. Pero ahora le tenemos que contar, para que se avive de que Fede es un cerdo.

—¡Ah...! —se hizo la tonta Paula— ¿Y a vos quién te contó que Fede anda atrás de María Sol?

—Fede, estúpida, él mismo. Me hice la que estaba de su lado y el idiota se la creyó y me contó todo. ¿Por qué no salen de una vez?

Miriam se estaba impacientando, y las preguntas tontas de Paula la ponían más nerviosa.

—¿Sabés qué te haría falta? –le dijo Paula conteniendo la risa–. Ojos en la espalda.

—Dejá de decir estupideces, ¿querés? –se enfureció Miriam.

—En serio... No sabés las cosas que te perdés por no tener ojos en la espalda...

—¡No me vas a decir que están en la plaza! –casi gritó Miriam dándose vuelta de golpe.

Y ahí nomás, se quedó muda, porque atrás de ella, además de Paula, estaban Federico, María Sol, Fabián y Graciela.

—¡¿Qué hacen acá?! –fue lo primero que se le ocurrió preguntar.

—Estamos buscando pruebas para tu sentencia –contestó Federico.

—¿De qué hablás?

—De tu sentencia de muerte.

—¡Sos una basura! –le dijo Graciela antes de que Miriam pudiera contestar.

—¡Él es una basura, porque te quería cagar con María Sol! –se defendió Miriam señalando a Federico.

—Gorda, no te gastes en mentir, porque María Sol ya nos contó todo –dijo Fabián.

—¡Les mintió! ¡María Sol me pidió que la ayudara porque quería transarse a Fede!

—¡Mentirosa! –gritó María Sol.

—Yo te aconsejo –empezó Fabián–, que para salvar tu vida, te pongas de rodillas y nos pidas perdón.

—¡Vos estás loco!

—¡De rodillas! –volvió a decir Fabián, empujándola para que se agachara, pero Miriam se zafó pegándole un empujón.

Federico aprovechó y le arrancó el largavistas de las manos.

—¿Esta porquería también sirve para ver el futuro? –preguntó enfocando a Miriam–. Mmm... Veo... Veo... Veo una lechoncita al horno con un tomatito en la boca...

—¡Traé, tarado! –gritó Miriam y se lo sacó de las manos.

—Vamos, chicos... Ya está –dijo Graciela.

—¿Y no la vamos a reventar a patadas...? –preguntó Fabián para asustar a Miriam.

—Dale... Vamos... –volvió a decir Graciela.

—Gordita... mantenete a distancia, porque no sabés la que te espera –le dijo Federico dándole unas palmaditas en la cara.

Miriam le sacó la mano de un golpe.

—Vamos... –insistió Paula esta vez.

Y los cinco chicos dieron media vuelta y se fueron hablando a los gritos a través de la plaza.

Miriam, furiosa, estrelló el largavistas contra el suelo. Los vidrios saltaron.

—¡Estúpidos! –les gritó enojada por lo que acababa de hacer, pero ninguno se dio vuelta.

Levantó lo que quedaba del largavistas y se fue a su casa, pateando todo lo que encontraba por el camino, secándose las lágrimas con el brazo y preguntándose en qué había fallado su plan, si era perfecto.

Lo que menos entendía era cómo María Sol se había unido a esa banda de inmundos.

En realidad, no había sido muy díficil convencerla para que vaya a la plaza con ellos a sorprender a Miriam. En cuanto Federico le contó por teléfono sus sospechas, María Sol se puso furiosa. Se sintió usada y, lo que es peor, se sintió una tonta por haberle creído y sobre todo, por haberse re-quemado con Fede. Claro que quería vengarse. Estaba dispuesta a hacer cualquier cosa que pudiera molestar a Miriam. Además..., de alguna manera tenía que demostrar que ella no era una estúpida.

Por supuesto que María Sol inventó y exageró las cosas que Miriam le había dicho. Hasta llegó a decir que Miriam la había amenazado para que fuera a la casa de computación ese día. Pero eso no importaba: gracias a María Sol habían podido descubrir el plan de la gorda y todo había salido bien. Entre todos, le habían pegado un buen susto a Miriam y le habían dejado bien en claro que no se tenía que meter más con ellos.

María Sol había estado re-gamba. Ninguno la creía capaz de jugarse de esa manera.

—Al final, me parece que María Sol es menos tonta de lo que parece —comentó Federico.

—Sí, claro, ahora es la Mujer Maravilla —le contestó Graciela.

—Si querés, te puedo conseguir un poco de criptonita verde –le dijo Fabián por lo bajo.

—Ay, ¡qué idiota, nene! ¡Mirá si me voy a preocupar por esa piba!

—Por las dudas, digo –la siguió Fabián–. Mirá que Fede tan mal no la pasó...

—¡Terminala tarado!

Los chicos no volvieron a hablar más de María Sol. Ya habían logrado lo que querían. Pero Miriam no se daba por vencida tan fácilmente y, antes de que ellos llegaran a sus casas, ya había pensado en qué era lo que iba a hacer.

Capítulo 10

Cuando la Directora llegó a la escuela, a la mañana siguiente, se sorprendió al ver al señor Reinoso parado en la puerta de la Dirección, esperándola.

—¡Cómo le va, Reinoso! —le dijo, tratando de disimular el disgusto que le provocaba.

—No tan bien... No tan bien —contestó el padre de Miriam.

—Pase —dijo la Directora, sospechando que iba a empezar la mañana con un problema—. Cuénteme qué pasa. ¿Alguna dificultad con la organización del baile...?

Desde la noche de la reunión de padres, día tras día, la Directora había tenido que resolver algún problema del bendito baile: cuando no eran las madres que organizaban el buffet, era el disc-jockey, y cuando no, el horario, y cuando no, el precio de las entradas. A ver qué le tocaba hoy...

—No, señora. El baile va saliendo. El problema es más serio.

La Directora se acomodó en la silla y entrelazó las manos sobre el escritorio, que era su forma de prepararse para lo que viniera.

—Es acerca de ese grupito de revoltosos que hay en séptimo –dijo el padre de Miriam, cruzando una pierna sobre la otra y poniéndose las manos en el bolsillo del pantalón.

—Perdón... ¿Qué grupito? –preguntó la Directora haciéndose la tonta, aunque ya se imaginaba de quiénes hablaba el señor Reinoso.

—Ese chico Federico y los otros tres que lo siguen a todos lados, las dos chicas y el de los anteojitos.

—Usted se refiere a Graciela Reboledo, a Paula Capuzotti y Fabián Levín.

—Efectivamente. El grupito ése que se rateó la vez pasada.

—Discúlpeme, señor Reinoso, pero vamos a llamar a las cosas por su nombre: los chicos estuvieron estudiando en la Biblioteca; eso ha quedado comprobado. Coincidimos en que debieron haber avisado, pero de ahí a hablar de rateada...

—Está bien, señora, eso ya pasó y no vengo a hablar de ese tema. Vengo a hablar de lo que pasó ayer.

—No estoy enterada –contestó la Directora, temiendo que en la escuela, hubiera sucedido algo grave y nadie le hubiera avisado.

—Me imagino que no, porque fue a la salida de la escuela.

La Directora respiró aliviada.

—Mire, estos chicos se encontraron con Miriamcita en la plaza y la agredieron. Uno le pegó una bofetada, el otro la quiso tirar al piso y para colmo, le rompieron unos largavistas que ella llevaba, que yo había comprado en Miami y no eran lo que se dice baratos.

—¿Unos largavistas...? –preguntó la Directora sospechando que algo raro estaría haciendo Miriam.

—Sí, los había llevado para preparar un trabajo práctico de Naturales. Pero eso es lo de menos. Lo que me preocupa es esa conducta violenta, de patota, que tienen estos chicos. Fíjese que mi hija, pobrecita, estaba tan asustada, que hoy no quería venir a la escuela.

La Directora conocía bien a Miriam como para suponer que, en lo que le había contado a su papá, había mucho de mentira o, por lo menos, de exageración. Y eso de Miriam asustada... era difícil de creer.

—Le agradezco que me haya informado, señor Reinoso. Si bien esto sucedió fuera de la escuela, yo voy a hablar con los chicos para aclararlo.

—No se trata de hablar, señora. Está visto que eso no resuelve nada. Si vengo a hablar con usted, es para pedirle que impida que esos chicos vayan al viaje de egresados.

La Directora se puso roja, se estrujó las manos, contó hasta diez y, después, con la mejor de las sonrisas, le contestó:

—Mire, señor Reinoso, como usted comprenderá,

lo que me pide es absolutamente imposible. En primer término, porque yo no organizo este viaje, sino ustedes, los padres, así que yo no tengo autoridad para decidir quién va y quién no y, en principio, todos tienen el mismo derecho.

—Pero señora... Usted y yo sabemos que si usted, no le digo prohíbe, si usted tan sólo sugiere que algún chico no debiera ir...bueno, ese chico no viaja.

—En segundo lugar... –siguió la Directora sin contestarle–. A usted, esos chicos podrán caerle poco simpáticos, se llevarán muy mal con Miriam, serán revoltosos... traviesos, sería para mí la palabra adecuada, pero no tienen una conducta antisocial, ni perturbadora, ni agresiva que justifique una decisión semejante. Así que desde ya le digo que no cuente conmigo para eso. Yo voy a hablar con los chicos, ver qué es lo que pasó ayer y tratar de que hagan las paces. Hasta aquí llega mi función.

Reinoso, que estaba furioso. Se puso de pie y, apoyándose sobre el escritorio, se inclinó sobre la Directora y le dijo:

—Usted sabrá lo que hace. Pero, desde ya le aviso, que ante cualquier problema o accidente que los chicos puedan sufrir en el viaje de egresados por culpa de esos revoltosos, usted será la única responsable.

—Señor Reinoso... –dijo la Directora, poniéndose también de pie–, yo sé perfectamente cuál es mi responsabilidad. Y quédese tranquilo, yo respondo por mis alumnos... incluso por su hija.

Reinoso, tratando de disimular su furia, saludó y salió de la Dirección. La Directora, sonriendo, descolgó el delantal del perchero, se lo puso y, respirando hondo, salió al patio a saludar a los chicos que ya estaban formados.

Fabián, desde la fila, vio al padre de Miriam saliendo de la Dirección y le pegó un codazo a Fede.

—Se pudrió todo —dijo—. Seguro que el viejo vino con algún cuento.

Miriam les hizo una sonrisita socarrona.

La Directora se acercó a la Foca y le dijo algo al oído. Fabián y Federico, atentos a todos sus movimientos, trataron de escuchar lo que decía, pero no fue necesario esforzarse, porque la Foca los llamó, junto a Graciela, a Paula y a Miriam y los mandó a la Dirección.

Miriam iba adelante, sonriente. Sabía lo que su papá había ido a decirle a la Directora. ¿Cómo no iba a saberlo si ella misma se lo había pedido? ¡Ahora íbamos a ver quién se reía mejor!

—Adelante... —les dijo la Directora.

Los chicos estaban realmente asustados, no tanto por la Directora, que era muy seria, pero dejaba hablar, sino por las mentiras que podía haber contado Miriam.

—Bueno —dijo la Directora—, quiero saber lo que pasó ayer.

Los chicos se miraron: ¿Qué contaban y qué no? ¿Tenían que contar todo el asunto de María Sol?

¿Qué habría dicho Miriam? ¿Por qué no habían llamado también a María Sol?

Miriam aprovechó la duda de los chicos para dar su propia versión de los hechos.

—Bueno... —dijo— ayer, yo estaba en la plaza y de repente aparecieron los chicos y me pegaron.

Los chicos apretaron los dientes con furia. Si hubieran podido, hubieran desintegrado a Miriam con la mirada..

—¿Fue así? —preguntó la Directora.

—Nada que ver —dijo Graciela.

—¿Sos capaz de decir que todo lo que digo es mentira? —preguntó Miriam.

—La encontramos en la plaza y nos peleamos, pero nadie le pegó —aclaró Graciela.

—¡Sí! ¡No mientan! ¡Me pegaron y me quisieron robar unos largavistas que son de mi papá! —gritó Miriam.

—¡Eso es una mentira! —contestó Graciela.

—Esperen... Esperen... —intervino la Directora que no entendía nada— ¿Por qué se pelearon?

—Eso... —dijo Fabián mirando a sus amigos—. Eso no se lo podemos contar.

—No lo pueden contar porque no tienen ningún motivo —le dijo Miriam a la Directora—. Me pegaron porque sí... porque son patoteros.

—¡Nadie te pegó, nena! —gritó Federico fuera de sí.

—Tranquilos chicos —intervino la Directora—.

Los mandé a llamar para resolver el problema de ayer, no para que se vuelvan a pelear.

—Es que ella miente todo el tiempo —se defendió Graciela.

—Bueno —dijo la Directora—, ella dio su versión, pero me gustaría escuchar la de ustedes.

Los chicos se miraron otra vez. ¿La mandaban al frente a Miriam...? Federico dijo que no con la cabeza: ellos no eran buchones, no necesitaban a la Directora para defenderse de Miriam.

—Estoy esperando... —insistió la Directora.

—Es como yo le digo —se metió Miriam.

—¡No es como vos decís! —dijo al fin Fabián—. Nosotros no le pegamos, sólo discutimos con ella por algo que nos hizo, pero que no podemos contarle.

La Directora se dio cuenta de que esa conversación no tenía ningún sentido.

—Bueno, yo respeto esa decisión y no voy a juzgar quién tiene razón en esta pelea, ni voy a tomar medidas. Pero les aviso una cosa: no voy a tolerar más patoteadas ni peleas ni agresiones de ningún tipo entre ustedes. Nadie les pide que sean amigos, pero son compañeros, y lo único que pretendo es que se toleren y traten de evitar las peleas, porque si no, todos van a salir perjudicados. Tienen el viaje de egresados por delante, pero si yo no tengo garantías de estar frente a un grupo responsable y civilizado, no voy a permitir que ese viaje se realice.

¿Entendieron?

—Sí, señora –contestaron todos.

—Vayan a clase.

Los chicos salieron de la Dirección sin hablar.

—Ya saben, ¿eh? Mucho cuidado... –dijo Miriam y, riéndose, corrió adelante.

—El último día de clases la cuelgo del mástil, te juro –le dijo Federico a Fabián.

—No creo que el mástil aguante el peso...

Antes de abrir la puerta del aula, Miriam se dio vuelta y les sacó la lengua. Después haciéndose la seriecita, pidió permiso y entró.

—Los estaba esperando –dijo la Foca en cuanto los chicos se sentaron–. Saquen el cuaderno de comunicaciones.

Los chicos se miraron: primero el reto de la Directora y ahora la Foca... ¿Miriam también le había ido con cuentos a ella?

—Vamos a ver... Quiero hablar con ustedes de la organización del baile. Tomen nota. "Señores padres..."

Los chicos respiraron aliviados.

—¿También va a venir al baile? –le dijo Fede a Fabián.

—Sí, para hacernos formar antes de entrar.

—¡Silencio! –gritó la Foca–. ¡No se puede organizar un baile con indisciplina! Empecemos por la comida. A ver, Matías, ¿su mamá qué va a traer?

Y así fue organizando todo. Desde el encargado de vender entradas, hasta el de levantar los papelitos del suelo, todos, padres y chicos tenían una función. Sólo se había olvidado de pensar quién iba a bailar, porque tal como había dispuesto las cosas, nadie iba a tener un minuto libre.

—Bailar es lo de menos —contestó cuando los chicos se quejaron—. Éste no es un baile para divertirse, sino para recaudar fondos.

—Es lo que yo digo... —dijo Miriam.

—Sí, sobre todo para vos, que en vez de bailar te vas a sentar con un chanchito en la puerta —le contestó Fede por lo bajo.

—Vos seguí haciéndote el vivo, que no te van a dejar entrar.

—¿Quién me lo va a impedir? ¿Vos?

—No, mi papá.

—Tu papá... —empezó a decir Fede.

—¡Federico! —lo interrumpió la Foca— ¿Me quiere repetir lo que estábamos diciendo?

—La hora... —le dijo Fabián por lo bajo para ayudarlo.

—Son las ocho y cuarenta —dijo Fede mirando el reloj.

—¡¿Cómo?! —preguntó la Foca.

—¡La hora del baile, estúpido! —volvió a decirle Fabián.

—Que la hora del baile es estúpida —dijo Fede como un loro.

Toda la clase largó una carcajada, menos la Foca que, indignada, hizo salir a Federico del aula y siguió dictando la nota para el cuaderno de comunicaciones.

Capítulo 11

Cuando Paula volvió de la escuela, encontró a su mamá y a su papá sentados en el living, esperándola. Paula se detuvo en la puerta con cara de susto. Soné, pensó, mi mamá averiguó que ayer no estuve en lo de Miriam y llamó a mi papá al trabajo.

Mientras los saludaba, se le ocurrió otra idea fatal. Miriam había venido con algún cuento y por eso la estaban esperando.

—¿Qué pasa? —preguntó haciéndose la indiferente.

—Andá a tu cuarto, Paulita, ya vas a ver —dijo el papá, que siempre usaba ese mismo tono serio, cuando estaba enojado y cuando estaba contento.

Paula fue hasta su cuarto. Se detuvo frente a la puerta que estaba cerrada. ¿Sería una penitencia? ¿La dejarían encerrada con llave en su cuarto? Pensó en volver al living y dar alguna explicación, pero ¿explicación sobre qué...? Se decidió y abrió la puerta. Una bola de pelo marrón y blanco se le prendió del pantalón. Paula pegó un grito... de alegría.

—¡Un perro!

Lo alzó, y dejó que el perro le lamiera la cara y le mordisqueara el pelo, mientras ella lo besuqueaba y casi lloraba de alegría. Paula y su perro eran una sola masa de pelo y saliva. Su mamá y su papá los miraban, parados junto a la puerta.

Cuando el perro la dejó hablar, apretándolo sobre su pecho, se animó a preguntar:

—¿Me lo puedo quedar?

—Por supuesto, es tu regalo de cumpleaños –dijo el papá.

Paula corrió a abrazarlos, con perro y todo.

—A mí, que no me lengüetee –dijo la mamá–. Y bajalo, que los perros tienen que estar en el suelo.

Paula se tiró al piso a juguetear con el cachorro, pero en cuanto lo soltó, hizo un hermoso charco de pis en el medio del cuarto.

—¡Ah, no! ¡Eso sí que no, Paulita! –dijo la mamá–. Si lo vas a dejar hacer pis en cualquier parte, el perro se va. ¡Tengo todo encerado! ¡Me va a arruinar el piso!

—Es chiquito, pobrecito... –protestó Paula.

—Pero lo vas a tener que educar, Paulita –dijo el papá–. Para que un perro pueda vivir en un departamento, tiene que estar muy bien educado.

—Sí, sobre todo, que no se suba a las camas ni a los sillones, te aviso –dijo la madre de Paula.

—Bueno.

—Y que no haga pis adentro.

—Bueno.

—Y que no vaya a romper nada.

—Bueno.

—Y que no llene la casa de pelos.

—Bueno. Voy a llamar a Graciela para contarle —dijo Paula para cambiar de tema, pensando que, en definitiva, la vida del perro en esa casa iba a ser tan difícil como la suya.

—¿Ya la tenés que llamar a Graciela? ¿Pero no la acabás de ver? —le reprochó su mamá.

—Sí, pero cuando la vi todavía no tenía perro, y ahora tengo.

Y además cuando la vi, nos retó la Dire y Miriam casi hace que nos quedemos sin viaje..., pero se la hicimos pagar... Y Fede se peleó con Graciela... Y casi sale con María Sol, pero yo descubrí todo.... ¡Bah! Fabián, que es mi novio... ¡Cuántas cosas que mi mamá no sabe...! Pensó Paula. ¡Y pensar que ella piensa que está enterada de todo lo que me pasa!

Paula llamó a Graciela para contarle que tenía un perro, pero Graciela todavía seguía pensando en lo que había pasado en la escuela, en Federico, en María Sol... Así que después de decir "tengo un perrito", Paula mantuvo una larguísima conversación en la que sólo pudo decir: "Sí, no, me parece, claro, y bueno"; por un lado, porque Graciela no la dejaba ni hablar y, por el otro, porque era mejor que su mamá no escuchara nada raro.

Cuando al fin pudo cortar, fue a la cocina y buscó un recipiente para poder darle leche al perro que, según ella, estaba muerto de hambre.

—Poné un papel de diario abajo, si no, va a manchar todo el piso –dijo la mamá que estaba preparando una torta.

—¿Esa torta es para el baile? –preguntó Paula.

—Sí. Me falta hacer otra, aunque, en realidad, yo no creo que vos quieras ir...

—¿Al baile? –preguntó Paula sorprendida.

—No, al viaje, digo. Porque... pensalo bien, Paulita, ahora tenés el perrito, y si vos te vas, te va a extrañar mucho...

—¡Ay, ma! Es una semana, nada más. ¿Qué le va a pasar al perro?

—Pasar, no le va a pasar nada. Lo que yo digo es que se puede poner triste. ¿Viste que los perritos cuando están tristes ni comen?

—¿Vos creés...? –dudó Paula.

Paula se quedó pensativa. ¿Tendría que dejar de ir al viaje por su perro? Sacudió la cabeza como para espantar esa idea.

—Además, Paulita –insistió la madre cuando vio que venía ganando terreno–, vos siempre quisiste tener un perrito... ¿No decías que era lo que más querías en la vida?

—Sí... –consintió Paula.

—Y ahora que lo conseguiste, ¿lo vas a abandonar?

—No lo voy a abandonar...

—Bueno. Para el perrito es como si lo abandonaras. Él no entiende que vos vas a volver.

Para mí, se va a morir de tristeza.

Paula abrazó a su perro contra el pecho. ¿Y si su mamá tenía razón? ¿Si el perro se moría mientras ella no estaba?

—Yo que vos, lo pensaría —la siguió la mamá.

—Pero ustedes lo van a cuidar... —sugirió Paula con una vocecita.

—Lo cuidará tu padre. Vos sabés que a mí no me gustan los animales. Así que no cuenten conmigo.

—¡Pero papá trabaja todo el día! —protestó Paula.

—Entonces, es lo que yo digo: si vos te vas de viaje, nadie va a poder cuidar al perro y se te va a morir.

Paula alzó el perro con bronca y corrió a encerrarse en su cuarto. Lo apoyó sobre la cama y empezó a hablarle:

—Mirá...Yo me voy a ir por unos días, pero eso no quiere decir que no te quiera. Después vuelvo. ¿Me entendés?

Pero el perrito solo lloriqueaba y cuando podía le daba un lengüetazo en la cara.

—¿No es cierto que no te vas a morir?

Y Paula apretó al perro contra su pecho hasta hacerlo llorar... hasta que los dos lloraron.

—No llores... —le dijo, secándole las lágrimas que le habían caído sobre las orejas—. Yo no voy a dejar que te mueras de tristeza... Mi mamá tiene razón: lo mejor va a ser no ir al viaje.

Pero, por ahora, no iba a decirle nada a los chicos.

Capítulo 12

A pesar de las dudas de Paula, que hubiera querido detener el tiempo para poder pensar mejor, el día del baile llegó por fin. Esa mañana, padres y chicos estaban en la escuela preparando todo y la Foca, parada en el medio, daba instrucciones a unos y a otros, como si se estuviera por festejar su cumpleaños.

La Foca había asumido la responsabilidad de este viaje como si estuviera organizando una excursión al Museo de Ciencias Naturales. Era la primera vez que acompañaba a sus alumnos y estaba convencida de que esta debía ser una experiencia educativa... desde sus preparativos. Le encantaba poder viajar, sobre todo, a Córdoba, el lugar donde tantos veranos había pasado en su infancia y que conocía tan bien. Pero la Foca sólo podía disfrutar cuando todo estaba "en orden", y esa mañana, si algo no había en la escuela era orden.

Después de luchar desesperadamente con los chicos, que arrastraban las pilas de sillas por el salón de actos; con las madres, que se amontonaban en la cocina acomodando paquetes de comida;

o con los padres, que estaban armando la parrilla para el "choripán"; como nada se hacía según ella lo había planeado, se acercó al padre de Miriam, que pasaba cargando unas bolsas de carbón, y le dijo:

—Señor Reinoso... ¿Me permite un minutito?

Reinoso se detuvo de mala gana y apoyó las bolsas en el suelo. Era como el quinto viaje que hacía llevando carbón y las bolsas pesaban lo suyo.

—No apoye las bolsas en el suelo, que ensucian –le indicó la Foca, y el padre de Miriam las tuvo que levantar.

—Mire, señor Reinoso, esto está muy desorganizado. Acá cada uno hace lo que quiere.

—Tiene razón –contestó Reinoso–. Yo ya les había avisado que organizar un baile no es soplar y hacer botellas. Pero insistieron y, bueno, ahí tiene... ¡Qué quiere que le haga!

—Bueno, yo no quiero que le haga nada, pero a ver si me ayuda a poner un poco de orden... ¡No se puede tomar a la escuela a la chacota! ¡Mire a esos chicos! ¡Mire a esos chicos! ¡¡¡Señores!!! –gritó la Foca y salió corriendo detrás de unos chicos que empujaban a Matías sentado en una silla, alrededor del patio.

Reinoso quedó parado como un poste, con las bolsas en la mano.

—¿Lo ayudo, Don Roberto? –le preguntó Ramón, el portero.

—Sí, agarre, por favor, antes de que se rompa –le contestó Reinoso extendiéndole una de las bolsas.

Pero Ramón ni siquiera llegó a tocarla, porque una señora salió de la cocina gritando:

—¡Ramón! ¿No hay luz en la cocina?

—¿Cómo que no hay luz? –preguntó Ramón, esperando que fuera solo un error.

—No sé, no prende... –dijo la señora yendo para la cocina seguida por Ramón, que volvió a dejar a Reinoso en el medio del salón de actos con las bolsas en la mano.

El padre de Miriam al ver que la Foca volvía, juntó fuerzas, levantó las bolsas, y salió rapidito para el patio. Pero la Foca lo vio de lejos y lo siguió. Solo que cuando llegó al patio, cambió de tema.

—¡¡¿Acá van a poner la parrilla?!! –casi le gritó al padre de Fabián que estaba preparando el fuego.

—Sí, claro.

—Acá no se puede –dijo terminante la Foca.

El padre de Fabián lo miró a Reinoso: él era quien había dicho que la parrilla se armara ahí.

—Siempre la armamos acá y no hay problema –le contestó Reinoso a la Foca, casi sin mirarla.

—No hay problema... No hay problema hasta que hay –dijo la Foca–. Esto está muy cerca... Una chispa, un pedacito de carbón puede prender toda la escuela.

—Un chorizo que se vuele... –le dijo el padre de Fabián por lo bajo a Domínguez, dejando que Reinoso se peleara solo con la Foca.

—No se haga problema... no es la primera vez que preparamos "choripán" y siempre lo hacemos acá –dijo Reinoso.

—Muy bien –contestó la Foca–, pero es bajo "su" responsabilidad. Otra cosa, señor Reinoso, lo que le estaba diciendo antes...

Pero, nuevamente, fue interrumpida. Esta vez, por Ramón, que llegó casi corriendo.

—Oiga, Don Roberto –le dijo a Reinoso–, saltaron los tapones.

—Bueno, cámbielos, hombre.

—Es que ya los arreglé y volvieron a saltar. Para mí, que acá hay un corto.

—¿Le dijo al idiota ése del disc-jockey que desenchufe todo?

—Sí, pero igual saltan... No sé qué será...

—Bueno, hombre, llame al electricista.

—Ya lo llamé.

—Bueno, entonces, si ya hizo todo, ¿qué me viene a decir?

—Es que el electricista salió a hacer un trabajo y no vuelve hasta la tarde... ¿Usted no conoce a otro?

—No, hombre, pregunte en el barrio. ¡¿Pero será posible que yo me tenga que encargar de todo?!

—Bueno, precisamente es lo que yo digo... —empezó la Foca.

—Llegaron las gaseosas —interrumpió Domínguez que pasaba cargado con un cajón, rumbo a la cocina—. Las dejaron en la puerta, hay que entrarlas.

—¿Y el hielo? —preguntó Reinoso siguiéndolo, decidido a escaparse de la Foca.

—No sé... ¿no lo iba a encargar usted?

Manga de inútiles, pensó Reinoso resoplando.

—¡A ver, pibes! ¡Vayan a ayudar con las gaseosas! —les gritó a Fabián y a Federico que estaban cómodamente sentados en la escalera.

—Cuando me piden las cosas por favor, no me puedo resistir —le dijo Fabián a Federico parándose de un salto.

—¡Una carrera hasta la puerta! —propuso Fede y salió corriendo adelante.

Pero la carrera terminó en el medio del salón de actos, donde casi se llevan puesta a la Foca que venía distraída siguiendo al padre de Miriam.

—¡Con cuidado señores! ¿Dónde se creen que están?, ¿en una cancha de fútbol?

—Disculpe... —alcanzó a decir Fabián.

—Les aviso una cosa: el que no se comporte correctamente no va a entrar al baile. Así que mucho cuidado, porque usted es uno de los candidatos —dijo dirigiéndose a Federico.

—Este baile va a ser lo más parecido que he visto a un acto del 25 de Mayo –dijo Fabián cuando la Foca los dejó ir.

Una madre se asomó por la puerta de la cocina y desde lejos le preguntó a la Foca:

—¿No lo vio a Ramón?

—Salió a buscar un electricista –contestó la Foca.

—¡Pero si la luz ya volvió! Debe haber sido un corte de la compañia...¿Tardará mucho?

—No sé...

—¡Ay, qué barbaridad! Es que necesitamos la llave del armario de la cocina para sacar los vasos... ¡Reinoso! –llamó la señora al padre de Miriam, que esta vez venía cargado con un cajón de gaseosas–. ¿Usted no tiene la llave del armario de la cocina?

—No, pídasela a Ramón –le contestó Reinoso sin detenerse a escuchar lo que la señora le contestaba.

—¿Ve lo que le digo? –le dijo la Foca poniéndosele al lado y siguiéndolo–. Esto está muy desorganizado...

En la puerta, los chicos se cruzaron con Graciela que venía con su mamá, cada una con una bandeja llena de sandwiches.

—Hola –saludó Graciela.

Fabián y Fede se miraron: buena oportunidad para zafar ¿Acaso una bandeja de sándwiches no pesa menos que un cajón de gaseosas?

—Dame que te ayudo –le dijo Federico a Graciela, quitándole la bandeja de la mano.

—Permítame, señora –le dijo Fabián a la mamá, y agarró la otra bandeja.

—¿A éstos qué les pasa? –le preguntó a Graciela su mamá mientras caminaban detrás de los "amables" chicos.

—No sé... les agarró un ataque de amabilidad o alguien los acaba de retar.

En ese momento pasó el padre de Miriam, cargado con su segundo cajón.

—¡Ey! ¡Ustedes! –le gritó a los chicos–. ¿No les dije que entraran los cajones?

—No es un ataque de amabilidad –dijo Graciela–, es un ataque de vagancia habitual.

Federico y Fabián devolvieron las bandejas a sus dueñas y volvieron a la puerta a buscar cajones.

—¡Pará! –dijo Fede– ¿Adónde vas tan apurado? Regla de tres simple: si en cinco minutos, llevo cinco cajones... en dos minutos, ¿cuántos cajones llevo?

—Menos –contestó Fabián con cara de canchero, y los dos empezaron a caminar juntando un pie con el otro, de tal forma que casi no avanzaban.

—Me parece que la regla de tres no es así... –dijo Fabián.

—¿Y a quién corno le importa? Lo seguro es que caminando así, cuando lleguemos a la puerta no queda ni un cajón.

—¡¡Pibes!! –tronó la voz de Reinoso–. ¡A ver si se apuran!

—¿No te dije que a esa regla de tres le faltaba un dato? –dijo Fabián.

—Sí, el padre de Miriam –contestó Federico.

Y riéndose fueron hasta la puerta y trajeron, entre los dos, un cajón.

Graciela y su mamá llegaron a la cocina, pero era tal el desbande de madres, hijos, paquetes, gaseosas y objetos en general, que tuvieron que esperar en la puerta.

Federico y Fabián llegaron también con su cajón, haciendo ruido de sirena para abrirse paso. Lo dejaron en la cocina y salieron a buscar otro, llevándose por delante a Reinoso que venía también con gaseosas.

—Disculpe –dijo Fabián.

—Como dijo que nos apuráramos... –agregó Federico y salió corriendo.

El padre de Miriam largó el cajón en la entrada de la cocina y se fue tras ellos.

—Permiso –dijo la Foca, que llegaba en ese momento, con una torta en la mano–. ¿Qué tal, cómo está? –saludó de pasada a la madre de Graciela–. ¿Se puede guardar esto en la heladera? Es la torta que hizo...

Pero la Foca se tropezó con el cajón de gaseosas que había dejado Reinoso en el paso, perdió el equilibrio y, la torta de crema que había hecho nunca se supo quién, se estrelló contra el piso.

Una bandada de madres que graznaban rodeó a la Foca:

—¿Se lastimó...?

—¿Está bien?

—¿Quién habrá dejado este cajón acá?

Después de comprobar que la Foca solo tenía un moretón en la pierna, se dedicaron a juntar del piso lo que alguna vez había sido una exquisita torta de crema.

—¡No pisen que está resbaloso! –avisó una madre.

Pero el padre de Miriam, que venía apurado para decir que ya había llegado el hielo, no la escuchó, y de un solo patinazo, quedó sentado en el piso.

—¡¿Quién fue el imbécil que tiró una torta al piso...?! –empezó a decir a los gritos mientras se levantaba.

—Fui yo, señor Reinoso... –lo interrumpió suavemente la Foca, muerta de vergüenza–. Me tropecé y la torta...

—Discúlpeme, caramba... Creí que habían sido esos mocosos –Reinoso no sabía cómo disculparse.

—Alguien dejó un cajón en el paso... –empezó a explicar la Foca, justo cuando Fabián y Federico entraban a la cocina.

—¡Acá los tiene! –dijo Reinoso señalando a los chicos– ¿Ustedes se creen que todo es diversión en la vida? –les preguntó de repente–. No basta con ayudar; las cosas hay que hacerlas con responsabilidad, aunque sean unos mocositos.

¿A ustedes les parece que se puede dejar un cajón en el paso?

Fabián y Federico se miraron: ¿De qué estaba hablando?

—¡Contéstenle al señor! –ordenó la Foca.

—Realmente, nos parece muy mal dejar un cajón en el paso, ¿no es cierto? –contestó Fabián mirando a Federico.

—Sí, eso está muy mal –lo apoyó Fede poniendo una cara increíblemente seria.

—Entonces, si les parece "muy mal" –dijo Reinoso– ¿Por qué lo dejaron acá?

—Nosotros no lo dejamos... –dijo Fabián–. Nosotros trajimos dos cajones: éste.. –dijo señalando el que todavía tenían en las manos– y aquél que está allá.

—¡Ah, claro! Y este cajón que está acá tirado, ¡llegó solo a la cocina! –se enfureció Reinoso, que si algo no soportaba era que le contestaran.

—No... lo trajo usted... –dijo Federico haciendo un esfuerzo por contener la risa.

—Es cierto –se metió la madre de Graciela cuando vio que Reinoso se estaba por comer vivos a los chicos–. Yo hace rato que estoy acá parada y vi cuando usted apoyaba el cajón. No se haga problema Reinoso, una distracción la tiene cualquiera...

El padre de Miriam se quedó mudo. Había metido la pata en gran forma y no tenía ganas de que nadie se lo hiciera notar y menos esos dos mocosos.

—Llegó el hielo —dijo, recordando de golpe para qué había ido a la cocina. Y salió como si se lo llevara el diablo.

—A propósito, ¿ve lo que le decía...? —aprovechó a decirle la Foca siguiéndolo.

—¡Ídola! —le dijeron Fabián y Federico a la madre de Graciela, abrazándola tanto que casi le tiran la bandeja de las manos.

—Ya llegó el electricista —dijo Ramón que venía cruzando el patio.

—Ya tenemos luz. ¡Que se vaya! —le contestó Reinoso de muy mal modo.

—Pero... —protestó Ramón.

—Pero, nada. Ya tenemos luz, hombre, ¿qué quiere que haga con el electricista? Hubiera venido cuando lo necesitábamos.

Reinoso, seguido por la Foca, siguió rumbo a la puerta, dejando a Ramón con los dientes apretados de furia.

—Relaje, Ramón, relaje... —le dijo Federico cuando le pasó por delante. Ramón hizo el amago de correrlo.

—¡Ole! —gritó Fede pegando un salto hacia el costado, y también salió corriendo hacia la puerta.

Pero ni Federico ni Fabián volvieron a entrar otro cajón, porque en la puerta se encontraron con Paula, que venía arrastrando a "la bola", como Federico empezó a llamar al perro.

—¡Salí! –le dijo–. Eso no es un perro... ¡Es una bola de pelo con ojos! Estoy seguro de que si lo tirás al suelo rebota. A ver, prestame..

—¡Salí, tarado! Es divino –dijo Paula levántandolo a upa.

—¿Cómo se llama? –preguntó Fede.

—No se me ocurre ningún nombre...

—Bola... ¿No te digo? Le queda bárbaro. Bolita... Bolita... –empezó a llamar al perro– ¡Mirá cómo mueve la cola!

—¿Cómo lo voy a llamar "bola"?

—No, también lo podés llamar "pelota", pero es muy largo. ¡Pelotita! ¡Pelotita!

Paula no pudo menos que reírse, sobre todo, cuando Fede agarró una ramita y se la mostraba al perro para que saltara: era realmente una "pelota peluda saltante", como dijo Fabián.

—Para eso, lo puedo llamar Pompón –se le ocurrió a Paula.

—¡Salí con ese nombre! –contestó Fede.

—Es que hace dos días que vengo pensando y no se me ocurre nada que me guste... Tiene que ser un nombre chiquito como él...

—Microbio –dijo Federico.

—¡Qué tonto!

—No, esperá. Nombres de cosas chiquitas hay muchos.. eh.. Piojo, Pulga, Bacteria, Fabián...

Paula le pegó a Federico y el perro gruñó.

—Parece que no le gustó.

—¡Virus! —gritó de repente Fabián que se había quedado pensativo.

—¡¿Qué?!

—Virus es un nombre copado —repitió Fabián.

—¿Por qué no sarampión? —se rió Fede.

—No. Digo virus de computadora, ese virus, que es algo insignificante, pero que puede armar un despelote de película.

—Yo espero que éste no arme ningún despelote... —dijo Paula sufriendo y, al ver la cara de los chicos, agregó —. En serio, ni se les ocurra armar lío con mi perro, porque mi vieja lo echa.

—Prometido —dijeron los chicos cruzando los dedos y mostrándoselos a Paula.

—¡Qué estúpidos! —se rió Paula.

—En serio, no hacemos lío, pero que se llame Virus, me parece buenísimo.

—Bueno, está bien: Virus —contestó Paula.

Fabián y Federico volvieron loco al pobre Virus, llamándolo de un lado y del otro. Y el perrito, moviendo la cola, respondía a su nombre como si siempre se hubiera llamado así.

Pero Paula no jugaba. De pronto, al verlo a Virus tan contento, se lo imaginó llorando porque ella se había ido a Córdoba, solo por la calle, perdido, buscándola, rengo, atropellado por un auto, tirado junto al cordón de la vereda...

Una lágrima le rodó por la cara. Se la secó con la mano y, antes de que los chicos pudieran preguntar qué le pasaba, alzó a Virus, dijo "chau" y se fue corriendo. No tenía ganas de ver como los otros preparaban un baile para el viaje al que ella no iba a ir.

—¿Y a esta qué le pasa? –dijo Fede.

—Qué sé yo. Se habrá puesto celosa...

Fabián y Federico estaban muy lejos de pensar que Paula había decidido no ir al viaje de egresados. Bueno, casi había decidido, porque segura del todo, todavía no estaba.

Fabián y Federico también se fueron. Ya habían ayudado bastante... Bueno, un poco.

Los demás, padres y chicos, terminaron recién a las tres de la tarde de ordenar todo para el baile de esa noche y, agotados y muertos de hambre, también se fueron yendo. Los padres, sufriendo de solo pensar que a las ocho tenían que estar de vuelta; los chicos pensando que hasta las ocho todavía faltaba demasiado tiempo. De más está decir que las buenas intenciones de dormir una siesta nunca se cumplieron: los chicos no podían estarse quietos en ningún lugar y los padres, con tanto revuelo, no pudieron pegar un ojo.

Capítulo 13

A las ocho en punto, todo séptimo grado, "A" y "B", estaba en la puerta de la escuela... ¡Y algunos ya llevaban más de media hora esperando!

Los padres habían decidido que, antes de dejarlos entrar, iban a terminar de poner en orden las últimas cosas, para evitar el caos.

Los chicos, de tanto en tanto, pegaban la nariz a la puerta para ver si faltaba mucho, pero sólo podían ver padres y madres corriendo de un lado a otro, a Ramón que andaba enloquecido y a la Foca tratando de dar órdenes que nadie cumplía.

De tanto en tanto, algunos golpeaban el vidrio para preguntar si faltaba mucho, pero desde adentro siempre recibían el mismo gesto: esperen un momentito.

A las ocho y media, los peinados de las chicas, que habían llevado horas frente al espejo, ya tenían el mismo aspecto desastroso de todos los días, las camisas de los chicos se habían arrugado, y a más de una, se le había borrado la pintura de los ojos de tanto pasarse la mano por la cara. El público que había sido invitado al baile ya estaba llegando y una multitud se iba amontonando en la vereda, pero las puertas seguían cerradas.

Vieron al padre de Miriam trayendo una mesita, seguramente para cobrar las entradas; vieron a la Foca acercarse a la puerta, seguramente para dar las últimas recomendaciones antes de abrir. Los chicos se amontonaron junto a la puerta: todos querían entrar primero. La Foca, sin animarse a abrir por miedo a que le pasaran por arriba y la dejaran chata contra el suelo como un dibujito animado, desde atrás del vidrio, les hacía señas para que formaran fila. ¿Formar fila...?. A nadie se le ocurría. De pronto, una música estridente se escapó por las ventanas. Los chicos la recibieron con gritos de alegría, saltos, aplausos y empujones. La Foca miró el cielo: Dios mío... ¡lo que le esperaba!

Nadie supo si el cielo escuchó sus ruegos o si hubo un cortocircuito, pero en ese momento se escuchó un "uuooouuummm..." de la música y todo quedó a oscuras. Los chicos volvieron a gritar y, esta vez, los grandes también.

La escuela era una mole negra que empezó a llenarse primero de lucecitas de encendedores y después de lucecitas de velas que Ramón repartía como podía. Sólo el fuego de la parrilla desparramaba una luminosidad en el fondo, que no servía para ver, sino para hacer todo más tenebroso.

Los chicos seguían gritando amontonados junto a la puerta, como si ver lo que pasaba adentro pudiera resolver algo. De pronto, la puerta se movió, y por una hendija, vieron escurrirse a Ramón.

—¿Qué pasó? ¿Qué pasó? –preguntaban todos al mismo tiempo.

—Se cortó la luz –dijo Ramón abriéndose paso entre los chicos.

Semejante conclusión mereció una silbatina en general: más bien que se había cortado la luz, nadie había pensado que a la Foca se le había ocurrido jugar al cuarto oscuro.

—Un corto... –dijo Ramón–. Tranquilos, ya traigo al electricista.

Sabiendo que había que esperar al electricista, los chicos se dispersaron y volvieron a sentarse en los escalones o en la vereda.

La Foca, comprensiva, se asomó y les dijo:

—Chicos... ¿por qué no juegan a algo mientras esperan?

Por suerte se metió adentro enseguida y no pudo escuchar las barbaridades que le contestaron.

Al rato, volvió Ramón... solo. Los chicos lo rodearon. ¿Y el electricista...? El electricista no estaba.

—A ver si me dejan pasar. Córranse. Vamos, vamos... –y empujando chicos, Ramón entró en la escuela.

Los chicos empezaron a temer que el baile se suspendiera. La luz de las velas era muy romántica, pero sin música, no había baile.

—Van a ver que mi viejo lo arregla –dijo Fabián confiado.

—¡Ay, nene! ¿Qué es tu papá? ¿Superman? –le contestó Miriam.

—No, ingeniero –dijo Fabián.

—Miriam no quiere que vuelva la luz porque la oscuridad la favorece... –agregó Federico.

—Sí, te la podés confundir con el piano –dijo Fabián.

—No empiecen, che... Después Miriam arma quilombo... –los frenó Graciela.

—A mí no me decís gorda... Yo me llamo Miriam, por si no te acordabas.

—¿Y quién hablaba de vos? Hablabámos del piano –le dijo Federico.

Miriam ya estaba por saltarle encima cuando un destello maravilloso y enceguecedor iluminó la escuela.

—¡La luz! –fue el grito de todos, mientras volvían a amontonarse en la puerta, que esta vez, sí se abrió.

La Foca dijo: "Chi..." y se tuvo que correr.

Los chicos se abalanzaron sobre el padre de Miriam y el señor Domínguez que vendían las entradas.

El padre de Fabián venía de contramano, abriéndose paso a los codazos para salir.

—¿Te vas? –le preguntó Fabián al verlo.

—Voy hasta casa a traer el equipo. El del disc-jockey no funciona más. Fue eso lo que provocó el cortocircuito.

—Voy con vos, así traigo algunos cds –dijo Fabián, más entusiasmado con la idea de pasar música que con la de bailar.

—Acompañame –le dijo a Paula, y se la llevó del brazo sin darle tiempo a contestar.

Los chicos entraron, pero música no había. Algunos se acercaron al disc-jockey que estaba desarmando todo y que lo único que sabía era que su equipo no funcionaba... Mejor dicho, que un viejo tarado había dicho que su equipo no funcionaba y provocaba cortos, pero que en realidad, andaba perfectamente. ¿Música? ¿Qué sabía? A él solo le habían dicho que se fuera... y sin pagarle.

La noticia de que no iba a haber música empezó a circular. Algunos decían que habían ido a buscar otro equipo, otros que les iban a devolver la entrada, y hasta hubo quienes hicieron correr la bolilla de que habían ido a buscar una banda de rock.

Pero como nada era seguro y la espera había sido larga, mientras tanto, lo mejor era comer. Y así como antes se habían abalanzado contra la puerta, ahora se apretujaban contra el buffet o la parrilla, mientras los padres que atendían pedían a gritos que alguien pusiera un poco de música para sacárselos de encima.

La Foca, que esa noche estaba decididamente comprensiva, tuvo una idea para salvar el baile de los "pobres chicos tan ilusionados". Corrió a la Secretaría, buscó la llave del armario y sacó el equipo de sonido de la escuela con micrófonos y todo. ¿Pero cómo se conectaba ese aparato?

La Foca revolvió los cables sueltos tratando de buscar algo que se pareciera a un enchufe, hasta que lo encontró. Lo enchufó y vio que la lucecita se prendía. La Foca, contenta, aplaudió como una foca y tosió un poquito, porque el polvo que cubría el equipo le daba alergia. Tomó el micrófono y probó.

—¡Hola! ¡Hola...! –no escuchaba más que su propia voz gritando en la Secretaría. ¿Estaría descompuesto?

La Foca salió corriendo y se abrió paso entre las hamburguesas hasta que lo encontró a Ramón.

—Ramón... –le dijo– ¿Usted sabe conectar el micrófono de la escuela?

—Sí, señorita. Pero mire que eso suena para el demonio, ¿eh? Ya en el último acto hubo que apagarlo porque metía un ruido que estaba dejando sordo a todo el mundo.

—No importa, Ramón... Lo que importa es poner un poco de música. Venga conmigo.

—Como usted quiera... Yo le digo lo que sé. Ahora, si a usted no le preocupa el ruido...

Y la Foca llevó a Ramón a la Secretaría, y Ramón conectó el equipo.

—Un casette –dijo la Foca revolviendo el armario–. Acá hay uno hermoso.

—Oiga, no les vaya a poner el Himno ¿eh? –dijo Ramón riéndose.

—Pero Ramón, ¡cómo se le ocurre! El Himno es un símbolo patrio y no se lo puede profanar de esa manera.

Si llega a poner el Himno, a la que van a profanar es a ella, pensó Ramón.

—A ver, señorita... pruebe el volumen —le dijo.

La Foca volvió a agarrar el micrófono.

—¡Hola! ¡Hola!

Su voz salió por los altoparlantes del salón de actos, amplificada, aumentada, deformada y aterrorizante como un rugido del hombre de las nieves... afónico.

—¡Hola!... ¡Uiii!

Todo el mundo se tapó los oídos.

—¡Hola!... Bueno chicos, vamos a dar comienzo al baile. Para que... ¡liiiiuuuiiii!... esta sea una verdadera fiesta y no haya problemas, les recomiendo conducta. No olviden que están en la escuela.

Los chicos chiflaron, las chicas gritaron... y el micrófono volvió a chirriar.

—Ponga la música Ramón —ordenó la Foca.

Ramón apretó "play" y se escuchó por los parlantes el pésimo sonido de algo que quería ser una canción.

Los chicos, que esperaban en medio del salón para empezar a bailar, tardaron en darse cuenta de que lo que estaban escuchando no era otra cosa que "Manuelita vivía en Pehuajó...".

Algunos se rieron y otros se pusieron furiosos, pero absolutamente todos se fueron hacia los costados y la pista de baile volvió a quedar vacía.

—¿Pero qué les pasa a los jóvenes de ahora?

—le preguntó la Foca a Ramón— ¿Ni siquiera saben divertirse?

—A lo mejor no les gusta la música... —sugirió Ramón que no sabía cómo contener la risa.

—Bueno, esto no será esa música bochinchera que ellos escuchan, pero es muy linda música. Es que no tienen formado el gusto... A ver, Ramón, alcánceme una escoba.

—Deje, señorita Elvira, después yo limpio todo...

—No es para barrer, es para bailar. Cuando yo era jovencita, siempre jugábamos al baile de la escoba.

—Bueno... han pasado mucho años... —le salió a Ramón del alma.

—¿Cómo dice?

—Nada. Ya le traigo la escoba.

Cuando Ramón iba para la cocina, se cruzó con la madre de Paula que corría de un lado a otro, retorciéndose las manos.

—Ramón, ¿no la vio a mi hija?

—No, señora. La verdad que con tanto batifondo...

—Estoy preocupadísima, ¡no la encuentro por ningún lado!

—Ya va a aparecer, no se preocupe.

—Si la llega a ver, dígale que la estoy buscando.

—Cómo no, señora, quédese tranquila.

Pero la madre de Paula nunca podía estar tranquila si no tenía a su hija frente a sus ojos. Y ahora, no sólo no la veía, sino que Paula ni siquiera estaba en la escuela. Por suerte, su mamá todavía no lo sabía.

Capítulo 14

Los chicos creyeron que con la música de "Manuelita" se habían terminado todas las sorpresas, pero se equivocaban: todavía no habían visto lo peor.

La Foca se paró en medio de la pista y, sin previo aviso, se puso a bailar con la escoba, a ritmo de bailanta, sacudiéndola para un lado y para el otro.

—Con razón se quedó soltera –le dijo Federico a Graciela– ¡Si a cada novio que la llevaba a bailar lo sacudía así, debe haber matado a más de uno!

Graciela no pudo contestar, porque la Foca se les acercaba amenazadora, sin soltar la escoba, para empujarlos, como a todos los otros chicos para que salieran a bailar.

Por supuesto, a nadie le quedaba otra que hacerle caso, y se iban amontonando de a dos en el medio de la pista, agarrados de la mano, inmóviles, haciéndose los que bailaban esa música imbailable, sólo cuando la Foca los miraba. Ella era la única que saltaba entusiasmada por la pista.

—Con un poco de suerte le da un ataque –comentó Graciela.

De pronto, la Foca arrojó la escoba al suelo y gritó:

—¡Ahora!

Y corrió a sacar a bailar a Martín que estaba petrificado de la mano de Roxana. Los chicos no lo podían creer. La Foca hizo que Roxana, que se había quedado sola, levantara la escoba y bailara. Martín giraba, con cara de terror, guiado por la Foca, mirando a los chicos para que lo socorrieran. Pero los chicos no podían parar de reírse y, por supuesto, ninguno pensaba salvarlo.

De pronto, la Foca volvió a gritar y soltó a Martín, que huyó al baño. Esta vez, todos corrieron a buscar nueva pareja, no por miedo a bailar con la escoba, sino por miedo a que los agarrara la Foca.

Graciela y Federico lloraban de risa, apoyados uno en el otro, cuando alguien les tocó el hombro.

—¿Dónde está Paula? –por supuesto, era la madre.

—No sé... entró con nosotros... –dijo Graciela mirando a Federico.

—Sí, entramos todos juntos –confirmó Fede.

—¡Pero no puede haber desaparecido!

—Estará en el baño... –la tranquilizó Graciela.

—Ya me fijé. Pero voy a ver otra vez –dijo la madre de Paula yéndose.

—Yo también hace un rato largo que no la veo –le dijo Graciela a Fede.

—Tampoco está Fabián. Mmm... Si yo fuera la madre de Paula los buscaría en el sótano... –contestó Federico.

—¿Qué van a estar haciendo en el sótano?

—Vos sí que no tenes imaginación, ¿eh? –dijo Fede–. Te explico: ellos son novios... el sótano está oscurito... no hay nadie... ¿me seguís?

—¡Qué estúpido! –le dijo Graciela riéndose–. Pará, pará. Mirá eso.

Federico miró hacia donde Graciela le señalaba. La madre de Paula estaba hablando con la Foca y ambas iban muy apuradas hacia la Secretaría.

—Se pudrió todo.

—Mejor que los encontremos –dijo Graciela poniéndose en puntas de pie para tratar de ver por sobre las cabezas de los chicos.

La voz de la Foca se escuchó por los parlantes.

—Hola...Hola... Paula Capuzotti, por favor... Su mamá la está buscando, venga por Secretaría...

Los chicos recibieron el mensaje con una silbatina. Algunos se pusieron a llamar "Paulita... Paulita..." como si buscaran un perrito; otros se miraban los bolsillos y afirmaban que ellos no la tenían.

—Si mi vieja me hace eso, la mato –dijo Fede.

—¡Es un papelón! –contestó Graciela–. Mirá a Miriam. ¿Qué hace?

Miriam, al escuchar el mensaje de la Foca, había pensado exactamente lo mismo que Federico.

Pero ella lo había pensado en serio: seguro que Paula y Fabián estaban escondidos en algún rincón oscuro. ¿Y quién sino ella podía encontrarlos?... Y si los encontraba y le avisaba a la madre de Paula... ¿Quién sino Paula se iba a comer una penitencia? Es más: hasta era posible que se quedara sin viaje.

Todo esto pensó Miriam en una décima de segundo de maldad y, sin ningún disimulo, salió a buscarlos. Ahí fue cuando la vio Graciela.

—No sé adónde va, pero algo está tramando —dijo Federico.

—Vamos a tratar de encontrar a los chicos para avisarles. Si Miriam los encuentra primero están listos.

Graciela y Federico salieron del salón de actos detrás de Miriam, sin que ella se diera cuenta.

—¡Esperá! —dijo Fede agarrando a Graciela del brazo—. Ya sé adónde va Miriam: al fondo del patio, detrás del cuartito ese que tiene Ramón para las escobas.

—¿Y a quién se le ocurre ir ahí?

—Es el lugar más oscuro, y además nadie te puede ver —dijo Fede.

—¿Y vos cómo lo sabés? —preguntó Graciela.

—Me escondo ahí todas las noches con una mina distinta —bromeó Fede—. Dejate de pavadas. Vení, salgamos por el otro lado.

—Pero no se puede pasar, está la parrilla...

—Vení te digo —y Fede agarró a Graciela de la mano y empezó a correr hacia la puerta que daba al patio.

Cuando llegaron, se dieron cuenta de que había una mesa que servía de mostrador, trabando la salida.

—Te dije. Ahora se nos perdió —dijo Graciela.

—Callate —contestó Federico y, de un empujón, la hizo agachar y meterse por abajo de la mesa.

—Momentito... Momentito... ¿Ustedes adónde van? —los detuvo un padre que atendía la parrilla.

—Ramón nos pidió una escoba, porque se derramó Coca —dijo Fede sin detenerse y, de la mano de Graciela, siguió corriendo.

—¿Una escoba para secar la Coca del piso? —dijo Graciela riéndose.

—¡Qué importa, igual se la tragó!

Cuando dieron la vuelta al cuartito de Ramón, se toparon nariz con nariz con Miriam, que volvía.

—Ahí no están —dijo Miriam—, así que no se apuren.

—¿No están quiénes? —se hizo la tonta Graciela.

—Fabián y Paula..., ¿a quiénes estamos buscando? —contestó Miriam canchera.

—Vos, no sé. Nosotros vinimos a buscar una escoba —dijo Graciela.

—Ah, sí... Contámela. Yo soy idiota, ¿sabés? Ustedes están buscando a esos dos tarados para avisarles que los busca la Gestapo.

—Primero no sé a qué tarados te referís —dijo Fede—. Segundo que, si por casualidad, estás hablando de Fabián y de Paula, vas a tener que empezar a disculparte... Y tercero, que nosotros no somos tan idiotas como para salir a buscarlos sabiendo dónde están...

Graciela lo miró con cara rara; ¿de qué hablaba Federico?

—Ah, sí... ¿Y dónde están si se puede saber? —los desafió Miriam.

—Adentro. Bailando con todos los demás. Qué te pasa, ¿estás miope también? —dijo Fede.

—Mentira —dijo Miriam, aunque no demasiado segura.

—Si tenés tantas ganas de encontrarlos, andá adentro y fijate. A lo mejor te ganás el primer premio.

Miriam salió corriendo a través del patio. No le había creído a Fede, pero era mejor constatarlo.

Federico y Graciela festejaron.

—Se la tragó —dijo Fede—. Mientras va y viene nos da un poco más de tiempo.

—¿Dónde se habrán metido? No sé ni dónde buscar.

—Vamos para la puerta, a lo mejor están charlando en la calle.

Federico y Graciela bordearon la escuela por el patio y cuando llegaron a la puerta vieron un auto estacionado con las luces prendidas.

—¿No los habrán raptado? —preguntó Graciela asustada.

—¡Ay, nena! Parecés la madre de Paula –dijo Fede.

Las puertas del auto se abrieron y apareció la cabeza de Paula.

—¡Te dije! –gritó Graciela.

—Sí... los raptó el padre de Fabián –dijo Federico que había visto al señor Levin bajar por el otro lado.

Graciela y Federico corrieron hasta el auto.

—Tu vieja te anda buscando –dijo Graciela– ¡Se armó un lío bárbaro! ¡Te llamaban por los parlantes!

—¡Uy, no! Te dije que era mejor que me quedara –le dijo Paula a Fabián.

—Ahora mi viejo lo arregla. Fuimos a buscar el equipo a casa –le explicó a Federico.

—¡Menos mal! ¡Vos no sabés...! La Foca... empezó a contarle Fede.

—¡Che! ¡A ver si me ayuda alguien! –gritó el padre de Fabián que estaba bajando los parlantes del baúl.

Los cuatro chicos corrieron a darle una mano, y ahí, confusamente, le contaron lo que pasaba. Lo único que pudo entender el padre de Fabián con claridad fue que los tenía que salvar, pero no pudo entender de qué. Ya se iba a dar cuenta.

En ese momento, Miriam apareció por la puerta de la escuela.

—Así que estaban bailando adentro, ¿no...? –le gritó a Fede–. Yo sabía que se habían escapado para chapar por ahí.

—Sí, conmigo –dijo el padre de Fabián sacando la cabeza de adentro del baúl y enfrentándola.

Miriam se quedó muda y se metió en la escuela.

Los chicos se largaron a reír.

—¡Ídolo! ¡Genio! –le decían al padre de Fabián palmeándolo.

—Vamos, vamos que hay que entrar esto. Agarren de ahí –dijo.

Cuando los cinco estaban entrando a la escuela, se encontraron con la madre de Paula y con la Foca que, avisadas por Miriam, venían a buscarlos a paso redoblado.

—Soné –murmuró Paula y apretó los ojos para aguantar el reto que se le venía.

—¿Se puede saber dónde estabas? –la encaró la mamá–. ¡Casi llamamos a la policía!

—Es que... –empezó Paula, pero el padre de Fabián salió en su ayuda. Ya se había dado cuenta a quién tenía que salvar.

—Vino conmigo para ayudarme a traer el equipo –dijo.

—Bueno... Sí... –la madre de Paula no esperaba esa sorpresa–. Pero debiera haberme avisado. Yo ya le tengo dicho...

—Es que... –empezó Paula otra vez, como si fuera lo único que sabía decir.

—Avisó –dijo el padre de Fabián. Paula lo miró: ¿qué iba a decir?

—A mí no me avisó nada –dijo la madre de Paula, furiosa con que ese hombre la contradijera cada dos palabras.

—A usted no, porque no la encontró –siguió el padre de Fabián, inventando sobre la marcha.

—¿Y entonces a quién le avisó?

—Le avisó a... ¿A quién le habías avisado, Paula? –preguntó el padre de Fabián sin saber qué contestar.

—A... –dijo Paula, más perdida que él.

—A Reinoso –dijo el padre de Fabián que de pronto había visto a Reinoso sentado en la mesita de las entradas y se le prendió la lamparita–. A usted no la pudo encontrar y le dijo a Reinoso, que justo estaba en la puerta, que le avisara que había venido conmigo.

La madre de Paula apuntó la artillería contra Reinoso.

—Vamos a ver –dijo, y enfiló hacia el padre de Miriam.

El padre de Fabián y los chicos aprovecharon para salir corriendo, cargados como estaban con parlantes y equipos.

—Te voy a matar –le dijo a Fabián su papá–, mirá el lío que armaste.

—Señor Reinoso... –dijo la madre de Paula–. ¿Paulita le dijo que había ido a buscar el equipo de sonido?

—¡¿A mí?! –dijo Reinoso sorprendido. ¿Qué era esto? ¿Ahora que había terminado con el malón de entradas le venían con esto?–. La verdad es que no me acuerdo.

—¿Cómo que no se acuerda? ¿Cómo se va a olvidar de un mensaje tan importante? ¿Usted sabe el momento que pasé?

—Discúlpeme, señora... lo que pasa es que había tanto barullo... –trató de justificarse Reinoso.

—¡Cómo discúlpeme! ¿Usted está en la puerta y no sabe quién sale y quién entra?

—Pero, señora, con tantos chicos... A lo mejor no la escuché... Disculpe...

—Casi llamo a la policía y usted me dice "disculpe" tan tranquilo! ¡Si esto pasa dentro de la escuela no me quiero imaginar lo que puede llegar a pasar en el viaje!

Y diciendo esto, pegó media vuelta y se fue, dejando a Reinoso confundido, agotado y preguntándose por qué todas le tocaban a él.

Vio pasar a Graciela y a Fede que iban hacia la calle. ¡Ma' sí! pensó, que se vayan... Yo no voy a estar haciendo de niñera también.

Federico y Graciela se sentaron en los escalones de la entrada.

—El viejo de Fabián es un genio total –dijo Fede.

—Sí, es un ídolo –le contestó Graciela–. Me encantaría tener un viejo así...

—A mí también.

—Pero tu viejo parece bastante gamba....

—Sí, pero lo veo re-poco.

—Debe ser feo eso de que tus viejos estén separados —dijo Graciela.

—Qué sé yo... Yo ya me acostumbré —contestó Federico un poco molesto.

—A mí me parece que yo no me podría acostumbrar nunca.

Federico se encogió de hombros. Los dos se quedaron callados.

—¿Hace mucho que se separaron? —preguntó Graciela.

—Yo estaba en cuarto grado.

—¡Ah! Hace poquito... Yo creia que siempre habían estado separados.

—Sí, claro: estaban separados desde antes de casarse, seguro —bromeó Fede.

—No, tonto. Qué sé yo, desde que empezamos primero, no sé... Como nunca los vi juntos... —aclaró Graciela—. ¿Y se peleaban mucho?

—¿Cuándo?

—No sé, antes de separarse...

—Normal.

—Cuando mis viejos se pelean yo me pongo re-mal. No sé, soy una estúpida... Me da miedo que mi papá se vaya... no sé. Después, al final, se amigan, ya lo sé, pero igual no me gusta.

—Todo el mundo se pelea.

—Sí, nosotros también... —dijo Graciela—. Yo odio pelearme con ustedes.

—Yo también.

—Y entonces, ¿para qué te peleas todo el tiempo? –preguntó Graciela.

—Qué sé yo.... –dijo Fede–. Porque me sale... porque hay cosas que me dan bronca y no me las banco... no sé. Las cosas que hace Miriam, por ejemplo...

—Bueno, eso sí, yo tampoco me las banco –lo interrumpió Graciela–. Pero a veces te peleás conmigo y se supone que somos amigos...

—Sí, ya sé, soy un estúpido. Pero a veces me arrepiento, lo que pasa es que ... bueno ya me peleé, ya está, y después no sé cómo arreglarla –trató de explicar Fede.

—Y es bastante fácil; vas y decís: disculpame, estuve mal, y listo.

—No es tan fácil, porque el otro por ahí no te disculpa nada, o te mete una piña y quedás pagando...

—Yo no... –Graciela dudó antes de seguir–. Yo siempre te disculpo. No sé... la bronca se me pasa enseguida. No puedo estar peleada con vos mucho tiempo.

—Bueno, pero con vos es distinto.

—¿Por?

—Porque vos y yo... –empezó Fede sin tener muy en claro lo que quería decir. Graciela sintió que el corazón le saltaba por dentro, pero jamás pensó que iba a escuchar lo que escuchó:

—¡¿Se puede saber qué hacen ustedes dos acá afuera?!

La voz de la Foca fue como la campanilla del despertador a las siete de la mañana: los sacó de golpe del mejor de los sueños.

—Nada... charlábamos –apenas dijo Graciela levántandose.

—Nadie puede estar fuera del ámbito escolar. Si les llega a pasar algo acá en la calle, nadie se entera. ¡Adentro! –ordenó la Foca.

Federico y Graciela entraron. La Foca los siguió, y acto seguido, llamó a Ramón para que cerrara la puerta con llave.

El baile ya era un baile. Fabián había conectado el equipo y estaba pasando música. Todos los chicos estaban bailando. Todos menos Fabián, por supuesto, y menos Paula, que sentada a su lado, iba guardando o sacando cds de las cajitas según sus indicaciones.

—Había pensado que el baile iba a ser algo bastante distinto –le dijo Graciela con un largo suspiro.

Graciela y Federico se mezclaron con los otros chicos a bailar y no se separaron en toda la noche. El baile terminó siendo un éxito y Fabián, un inesperado y excelente disc-jockey que recibió una ovación sobre el final.

A las dos de la mañana, los últimos padres salieron de la escuela. Graciela se fue a dormir a la casa de Paula. El baile había terminado, pero para ellas, siguió como hasta las cinco.

Mientras Graciela volvía a contar una y otra vez lo que le había dicho Fede, y cómo habían bailado, y cómo la había mirado, y cómo la Foca había arruinado todo, Paula buscaba la manera de decirle que, a lo mejor, tal vez, casi seguro, no iba al viaje. Pero tardó demasiado en encontrar la forma y Graciela se durmió hablando de Federico, para alegría de Virus, que con tanta charla, no podía dormir tranquilo.

Ni Graciela ni Virus se enteraron de que esa noche, Paula se durmió llorando, abrazada a la almohada.

Capítulo 15

Los días pasaban rápido y las semanas volaban. Cuanto más se acercaban a la fecha del viaje, más hablaban de él. Unas semanas antes parecía que todos los chicos de séptimo ya se habían ido: no se acordaban de nada de lo que se les decía, no tenían ganas de estudiar... Bueno, de estudiar nunca tenían ganas, pero ahora, menos. No prestaban mucha atención, ni siquiera salían. Sólo hablaban y hablaban y hablaban, y cuando dejaban de verse, siempre se acordaban de algo que no se habían dicho y se hablaban por teléfono, y cuando no los dejaban hablar se pasaban papelitos, y cuando estaban solos hacían listas interminables de las cosas que no se tenían que olvidar de llevar, pero como se olvidaban de todo, después perdían las listas y las tenían que volver a hacer. Igualitas. pero más largas.

Hasta la Foca parecía no pensar en otra cosa. Todos los días agregaba alguna pregunta al cuestionario o alguna cosa a la lista de útiles y cuando no tenía nada que agregar, no perdía la oportunidad de dar nuevas recomendaciones. Que en el micro, no se grita, que en el micro, no se camina, que no se llena el micro de papeles de golosinas; que en la mesa, no se grita tampoco, ni en las habitaciones; en resumen, que no se grita en ningún lado, ni en la pileta. ¡¡La pileta!! Que cerca de la pileta no se corre, que no se empuja a nadie al agua, que solo con ella en la pileta, que nadie cerca de la pileta. Que la hora de dormir, que cuidar la ropa, que el baile...

Era como una madre multiplicada por mil.

Por suerte, dos semanas antes, aparecieron por la escuela los coordinadores que iban a viajar con ellos: Verónica y Daniel: jóvenes, lindos, simpáticos y con el pelo largo... los dos.

Verónica y Daniel tuvieron una reunión con los chicos, donde les contaron más o menos qué era lo que iban a hacer y cómo se iba a organizar todo, y de paso, repitieron muchas de las cosas que ya había dicho la Foca y que los chicos sabían de memoria: que el micro, que la pileta, que la noche, etcétera, etcétera. Para terminar, preguntaron si alguien quería decir algo.

—Yo —dijo Roxana—. Quiero saber si tenemos que hacerle caso a la maestra.

Todos los chicos se echaron a reír. Daniel y Verónica también, porque no entendían la pregunta y, sobre todo, porque no conocían a la Foca. Los chicos tuvieron que explicarle de qué se trataba.

—Bueno —dijo Daniel—, siempre que una maestra viajó con nosotros la pasamos bárbaro, porque ella también está como de vacaciones.

No va a ir a Córdoba a enseñar...

—¡¡¡Sí!!! –dijeron los chicos a coro.

—Bueno, chicos –dijo esta vez Verónica–, pero si ustedes la eligieron...

—¡¡¡No!!! –gritaron los chicos.

Daniel y Verónica se miraron.

—Bueno –intentó Daniel–, de todas formas, para venir al viaje, por muy estricta que sea, debe ser una persona joven...

—¡¡¡No!!! –volvieron a gritar los chicos.

—Bueno –dijo Verónica finalmente–. No se preocupen. Confíen en nosotros. Nosotros vamos a hablar con ella. El objetivo es que ustedes la pasen bien y que no haya roces ni problemas. Nosotros siempre hablamos entre todos los problemas del grupo que surjan en el viaje, así que también vamos a poder hablar con ella sobre esto...

Se escuchó un "¡Mmm!" de duda.

—De todas formas –dijo Daniel animosamente dando unas palmadas con las manos–, me gustaría charlar con ella, así empezamos a conocernos. ¿Por qué no la van a buscar?

Martín salió corriendo y volvió con la Foca.

—Ahí viene –dijeron los chicos al verla llegar.

Daniel se dio vuelta. Los chicos pudieron ver cómo la sonrisa se le congelaba en la cara, cómo se ponía pálido y cómo, después de mirar a Verónica, se le inflaban los cachetes de risa.

—Buenos días –dijo la Foca—. Me dijeron que el coordinador quería verme.

—Yo soy el coordinador –dijo Daniel poniéndose de pie con un salto atlético.

—¿Usted?

—Sí. Daniel Fernández, encantado –dijo, extendiéndole la mano.

—Verónica Lamberti –dijo Verónica también dándole la mano.

Los chicos estaban mudos siguiendo paso a paso el encuentro.

—Ustedes dirán para qué me necesitaban –dijo la Foca tratando de superar el shock que la pelambre de Daniel le había producido.

—Bueno, en realidad, no necesitábamos nada –dijo Daniel–. Como vamos a viajar juntos, queríamos conocerte, nada más.

En el "conocerte" los chicos se taparon los oídos. ¡La Foca lo iba a matar! Pero no. A la Foca sólo le dio un acceso de tos y sacó el pañuelito del bolsillo.

—Bueno, ya nos conocimos –contestó molesta–. Si me disculpan... Estoy dando clase en sexto.

—Sí, por supuesto –dijo Daniel–. Bueno, nos vemos, Foca.

Los chicos no lo pudieron soportar; los cuarenta y ocho que eran, se revolcaban por el piso a los gritos y lloraban de risa.

—¡Silencio alumnos, que no me dejan escuchar! –gritó la Foca.

Por suerte, pensó Daniel.

—Son terribles... –dijo, dirigiéndose a Daniel–.

Perdón... ¿Qué me decía?

—No, nada –contestó Daniel, que se había dado cuenta de la metida de pata–. Que nos vemos.

—Por supuesto –dijo la Foca y se fue, no sin antes recomendarle a los chicos que entraran al aula en silencio.

—¡Es Miss Simpatía! –dijo Daniel cuando la Foca estuvo lejos–. ¿Me quieren decir cómo se llama? ¡Me mandaron al frente!

—¡Elvira! –contestaron los chicos a coro.

—La verdad que Foca es más lindo –comentó Daniel.

Verónica y Daniel se despidieron de los chicos prometiendo volver unos días antes del viaje. El encuentro había sido bárbaro. Daniel y Verónica eran unos ídolos y el fantasma de la Foca arruinándolo todo iba desapareciendo.

—¡La que nos espera! –le dijo Daniel a Verónica resoplando, cuando salieron de la escuela.

—Sí, pensemos algo, porque esta mujer les va a arruinar el viaje.

—Y a nosotros nos va a arruinar la vida –contestó Daniel.

—A lo mejor tiene ese aspecto, pero es una tipa macanuda –sugirió Verónica optimista.

—¿Vos creés...?

—No.

—Bueno, algo se nos va a ocurrir –dijo Daniel.

Y los dos se fueron, pensando cómo hacer para que la Foca no molestara a los chicos, para que los chicos no molestaran a la Foca, y sobre todo, para que ni los chicos ni la Foca los molestaran a ellos.

Capítulo 16

El lunes de la semana anterior al viaje (la fecha había sido fijada, finalmente, para el martes 16), Paula llegó a la escuela con los ojos enrojecidos y una espantosa cara de velorio. Había tomado una decisión.

—¿Qué te pasó? –le preguntó Graciela en cuanto la vio.

Paula la miró y se largó a llorar.

—¿Qué te pasa? ¿Te sentís mal? ¿Por qué llorás? –Graciela la abrazaba.

Pero Paula no podía contestar nada. Tapándose la cara con las manos, lloraba y lloraba, y cuando parecía que iba a dejar de llorar, respiraba hondo y lloraba más fuerte.

—¿Querés que llame a tu casa? –le preguntó Graciela.

Paula negó con la cabeza.

—¿Te duele algo?

Paula volvió a negar. Llegaron Federico y Fabián.

—¿Qué le pasa? –preguntó Fede.

Graciela se encogió de hombros.

—¡Ey! Pau... –la llamó Fabián–. ¿Qué tenés?

Paula levantó la cabeza, lo miró a Fabián y cuando estaba por hablar, se largó a llorar otra vez.

—¡Se asustó con tu cara, idiota! –bromeó Fede–. Miralo, miralo, que yo lo tapo –le dijo a Paula, mientras ponía su mochila adelante de la cara de Fabián.

Paula miró de reojo y sonrió entre lágrimas.

—Los presento –dijo Fede, viendo que sus tonterías daban resultado–. Paula "Canilla"... Fabián "Mochila".

Paula volvió a sonreír. Ya un poco de hipo iba dando la pauta de que el llanto estaba por terminar.

—¿Qué le pasa? –preguntó Miriam acercándose a Paula.

—Nada que a vos te importe –contestó Federico.

—¿Vos qué sabés si a mí me importa o no?

—Porque a vos lo único que te importa son los sandwiches de salame y acá no tenemos, así que tomátelas.

—Acá el único salame sos vos –contestó Miriam.

—Y con vos de salchichón, podemos poner una fiambrería –agregó Fabián riéndose.

—¿Y a vos quién te habló?

—Nadie, porque los salchichones no hablan...

—Y los gusanos tampoco –dijo Miriam, y se fue.

Distraída con la pelea, Paula había dejado de llorar y se limpiaba los mocos con el pañuelito que su mamá jamás se olvidaba de ponerle en el bolsillo del delantal.

—Con ese pañuelito parecés la Foca –dijo Fede. Paula se rió.

—Bueno, ¿se puede saber qué te pasa? –le preguntó Graciela.

Paula tomó aire para no largarse a llorar otra vez, y dijo:

—Que no voy al viaje de egresados.

—¡¡¿Qué?!!

—¡Alumnos! –la Foca estaba atrás de ellos–. ¿No escucharon el timbre? ¡A formar!

Los chicos fueron sin dejar de hablar.

—¡En silencio! –gritó la Foca atrás de ellos, así que no pudieron enterarse de nada más hasta que llegaron al aula.

—¿Cómo que no vas a ir al viaje? –le preguntó Graciela mientras buscaba la carpeta en la mochila.

—¿Quién no va a ir al viaje...? –se metió Miriam que las había escuchado.

Graciela y Paula se miraron: con Miriam atrás, era mejor no hablar de nada.

—¿Quién no va a ir al viaje? –insistió Miriam, pero las chicas no le contestaron.

—Igual ya lo sé. Paula no va porque no la dejan. Paula es chiquitita... Paula es chiquitita... –canturreó.

—¡Cortala! –gritó Paula dándose vuelta.

—¡Señorita Capuzotti! –dijo la Foca–. Póngase de pie. ¿A usted le parece que esa es manera de gritar dentro del aula?

—Es que me estaba molestando –balbuceó Paula con los ojos llenos de lágrimas otra vez.

—Aunque la estuvieran molestando, ésa no es forma de hablarle a una compañera.

—Sí, señorita.

—Siéntese y póngase a trabajar.

Paula se sentó.

—No quiero escuchar ni una palabra, ¿entendido? –dijo la Foca a toda la clase–. Saquen el mapa de la Región Central que les pedí.

Graciela sacó el mapa, y del lado de atrás escribió: "¿Por qué?" y se lo pasó a Paula. "Virus" escribió Paula. "Estás loca", contestó Graciela en el mapa. "Se muere", puso Paula.

Federico les chistó. Se había dado cuenta de que ninguna de las dos estaba copiando el nombre de los cerros de Córdoba y quería saber de qué se trataba.

Graciela se estiró por arriba de Paula y le pasó el mapa con los mensajes.

—¿Qué es eso? –la voz de la Foca cortó el silencio como un cuchillo filoso.

—Nada –dijo Graciela–, que Federico se olvidó el mapa y le estaba prestando uno.

—¿Y usted?

—Tengo otro –dijo Graciela, y era cierto.

—Federico –dijo la Foca– ¿Otra vez se olvidó los materiales?

—Lo tenía... –dijo Fede–. No sé qué pasó.

—A ver si empieza a usar un poco la cabeza, m' hijito. No sé cómo piensa aprobar el secundario si se olvida de todo. Póngase a trabajar.

Federico esperó a que la Foca se diera vuelta para escribir en el pizarrón y le dijo a Graciela:

—Me mandaste al frente, te voy a reventar.

—¿Y qué querías que le diga? –contestó Graciela en un susurro.

—Le hubieras dicho que te lo habías olvidado vos, y que yo te lo estaba prestando.

—¡No es tan idiota como para creerse eso! Que yo me olvide el mapa, puede ser, pero que vos tengas uno de más no se lo cree ni...

—¡Alumnos! –gritó la Foca sin darse vuelta.

Graciela se calló. Federico leyó lo que decía el mensaje en el mapa y se lo mostró a Fabián.

—Paula no puede ser tan idiota... –dijo Fabián sin sacar los ojos del pizarrón.

—Por algo es tu novia –le contestó Fede, y Fabián lo pateó por abajo del banco.

Fede escribió detrás del mapa: "No está loca, está enferma. Nadie se puede perder el "biaje" por Virus".

Y Fabián agregó: "Espero que no sea contagioso".

Los chicos le pasaron el papel a Paula.

Paula lo leyó y les hizo una mueca. Después trató de concentrarse en el mapa. Trató, pero no pudo, porque durante el resto de la hora, los chicos se la pasaron ladrándole por lo bajo y lloriqueando como un perrito. Y Paula, aunque no los quería escuchar, igual se tentaba.

El mapa de las sierras de Córdoba les quedó incompleto. A ella, a Fabián, a Fede y también a Miriam, que toda la hora estuvo atenta al papel que iba y venía, pensando cómo podía hacer para leerlo.

Capítulo 17

Cuando los chicos salieron al recreo todo lo rápido que la Foca les permitió, Miriam se quedó en el aula.

—Recreo, Miriam —dijo la Foca.

—¿Me puedo quedar señorita? No terminé de copiar, y no quiero que me quede incompleto —le pidió Miriam, con voz de "la mejor alumna".

—Está bien —dijo la Foca—, pero cuando salga, cierre, y me trae la llave a mí. No se olvide.

—Sí, señorita —contestó Miriam y se hizo la que copiaba.

En cuanto la Foca salió, Miriam se abalanzó sobre el banco de las chicas. Tanteó con la mano debajo del pupitre, pero no encontró nada. En realidad, Paula y Graciela, cuando salían al recreo, guardaban todo en la mochila: no era la primera vez que Miriam revolvía sus cosas, y ya se habían cansado de que siempre les faltara algo.

Miriam miró hacia afuera. No había nadie cerca del aula, pero ya que tenía la llave era mejor cerrar y no correr riesgos.

Se puso en cuatro patas y gateó hasta la puerta. No quería que nadie la viera cerrando.

La llave estaba puesta, como siempre, y del lado de adentro. Bien. Miriam le dio dos vueltas, y gateando volvió al banco de las chicas. Tiró la mochila de Paula al suelo y empezó a sacar las cosas una por una. ¿Dónde estaba el mapa? Tuvo que revisar las carpetas hoja por hoja. No, Paula no lo tenía.

Guardó todo y empezó con la mochila de Graciela. Si no lo encontraba antes de que termine el recreo, lo perdía para siempre.

No estaba en ningun lado: ¿Se lo habrían llevado en el bolsillo...? Con el apuro, seguro que no había mirado bien. Empezó otra vez, cosa por cosa en la mochila de Graciela. ¡Qué tonta! ¡No había mirado en la cartuchera! Abrió el cierre y ahí lo vio, doblado en diez mil partes entre los lápices. Miriam sacó el mapa, guardó todo y dejó la mochila en su lugar.

Sentada en el suelo, desdobló el mapa y lo leyó: "Por qué. Virus. Estás loca. Se muere. No está loca, está enferma. No se puede perder el "biaje" por ningún virus. Espero que no sea contagioso".

¿Con que Paula estaba enferma...? Dobló el mapa otra vez, y se lo metió en la media para no perderlo. Salió al patio, cerró la puerta y le llevó la llave a la Foca.

Miriam pasó cerca de Federico, Graciela, Paula y Fabián que, sentados contra la pared del aula, hablaban en voz baja.

—¡Shhh! Que viene la gorda —dijo Federico.

Pero Miriam no se acercó para escuchar, como lo hubiera hecho en otro momento. Al contrario, al verlos, dio un rodeo y les pasó bien lejos.

—¿A ésta qué le pasa? —preguntó Graciela asombrada.

—¡Qué sé yo! Debe estar enferma —dijo Fabián.

—¡Que se muera! —dijo Fede— Sigamos con el plan.

El plan, era el plan para que Paula fuera al viaje de egresados... y Virus también.

—No, paren, yo no me animo —dijo Paula—, si mi vieja descubre que yo me llevo a Virus, no me deja ir; si lo descubre la Foca, menos; si lo descubren Daniel y Verónica, tampoco... Es un montón de lío y el resultado va a ser el mismo: que yo me quede.

—Pará —dijo Fede—. Obvio que no les vas a ir a preguntar. La cosa es llevarlo escondido.

—¿Pero cómo pensás esconder un perro?

—Sólo hay que esconderlo durante el viaje. Una vez allá, vemos... que sé yo. Además, aunque nos descubran en la Falda, ¿qué...? ¿Te van a mandar de vuelta...? —razonó Fabián.

—Ustedes hablan como si fuera facilísimo hacer que un perro se quede ochocientos kilómetros escondido debajo de un asiento... —dijo Graciela, que tampoco estaba muy convencida.

—Nadie piensa esconderlo debajo del asiento —contestó Fede.

—No, claro, le ponés anteojos negros y decís que es tu tía –dijo Graciela.

—¡No, tarada! Lo llevás adentro de algo...

—Sí, claro, en un bolso –dijo Paula, descreída.

—Eso –se le ocurrió a Fabián–, lo llevas en el bolso.

—Ustedes están locos... Además, ¿qué le digo a mi vieja? ¿Que el perro desapareció de repente? ¿Te crees que no se va a dar cuenta? –los desanimó Paula.

—Bueno, eso es otra cosa –dijo Fabián–. Primero, hay que ver cómo viaja Virus, después pensamos cómo lo sacamos de tu casa.

El timbre terminó con la conversación, pero no con el plan que, durante toda la mañana, les siguió dando vueltas en la cabeza.

Paula pasaba del entusiasmo de poder ir al viaje con su perro, al pánico de que la descubrieran y, en definitiva, se quedara sin viaje y sin perro para siempre. Los chicos insistían: que si todo estaba bien organizado desde ahora, nada podía salir mal; que por el momento, con pensar, no se perdía nada; que tenían diez días por delante y que ese tiempo era más que suficiente para entrenar a Virus.

Cuando se separaron al mediodía, acordaron en buscar en sus respectivas casas un bolso adecuado para Virus, ni muy grande ni muy chico, fuerte y que permita la respiración.

Tanto hablaron del tema, que ninguno reparó en que Miriam no se les había acercado en toda la mañana.

Solo la Foca vio que Miriam se subía las medias a cada rato.

—Miriam... ¿quiere dejarse tranquilas esas medias? —le dijo en la fila.

—Si, che, que cada vez que las movés, el tufo nos voltea —agregó Federico haciéndose el desmayado, sin sospechar que las medias de Miriam escondían algo bastante peor que el mal olor.

Capítulo 18

Esa tarde, cada uno llegó a la escuela con un bolso, y Miriam, sin bolso pero con su papá.

—Ése no sirve para nada –le dijo Fede a Graciela, señalando el bolso que ella había traído–. Es tan chiquito que para que el perro entre, vamos a tener que doblarlo en dos.

—Bueno, es el único que encontré... –se defendió Graciela–. En casa hay uno grande, pero es el que voy a llevar yo.

—Ya veo que esta se lleva hasta las puertas del placard –le dijo Fede a Fabián.

—¿Para qué querés un bolso grande si total vas a estar todo el día con la misma ropa? –dijo Fabián.

—¿Estás loco? Yo llevo como tres cosas para cambiarme cada día...

—¡Ay, sí...! Porque tengo que estar re-linda, ¿viste? –la burló Fede.

—No es por eso, tarado. Es que odio andar con la ropa sucia.

—¡Ay...! Yo también, ¿y vos? –la siguió Fede, hablando como si tuviera una papa en la boca.

—Lo que yo no soporto es andar con las medias corridas.... –dijo Fabián imitando a las chicas.

—Basta. Córtenla que hay que resolver lo del bolso –los frenó Paula–. Para mí el mejor es el Fede.

—¡Es horrible! –dijo Graciela.

—Lo queremos para llevar un perro, no para viajar de lujo a la Isla Margarita –dijo Fede.

—Sí, es el mejor, porque por este agujero de acá, el perro puede respirar sin problemas –coincidió Fabián.

Era cierto: el bolso era tan viejo que tenía un terrible tajo en el costado. Eso lo hacía cómodo y aireado, como dijo Fede.

El asunto era, ahora, cómo entrenar a Virus para que se quedara quieto en el bolso.

Tuvieron algunas ideas: Virus tenía que empezar a dormir adentro del bolso. Paula iba a poner los trapos de su cucha ahí, y a la noche, se lo iba a llevar a su cuarto.

Segundo: el perro tenía que acostumbrarse a estar con el bolso cerrado, sin llorar. Por eso, todos los días, cuando lo llevara a la plaza, Paula tenía que meterlo en el bolso y pasearlo cerrado. Cada día un rato más largo.

Tercero: Virus tenía que acostumbrarse a viajar en auto. Pero, por el momento, ese punto no tenía solución o, por lo menos, no dependía de ellos. Y era un punto importante porque, según decía Fabián, hay muchos perros que cuando se suben a un auto vomitan. Y la idea de ochocientos kilómetros bañados en vómito no le divertía a ninguno.

Cuando los chicos estaban por subir al aula, pasaron por la Dirección y vieron a la Directora hablando con el padre de Miriam.

—Por suerte esta vez no hicimos nada, si no, pensaría que nos está acusando otra vez –dijo Fabián.

—No estés tan seguro. Mirá que Miriam tiene mucha imaginación. Lo que no descubre, lo inventa –le contestó Fede y, guiñándole un ojo, le señaló a Paula que caminaba más adelante.

—Che, Paula... –le dijo– ¿Viste al padre de Miriam en la Dirección?

—Sí, ¿qué tiene?

—Parece que le fue a contar a la Dire que vos te querés llevar a Virus –contestó Fede muy serio.

Paula se puso pálida.

—¡Les dije! ¿Y ahora qué hago? Me tienen que ayudar.

—Ah, no... –dijo Fabián–. Virus es tu perro, así que arreglate.

—¡Son una porquería! –empezó a llorar Paula.

Fabián y Fede se miraron: ¡Qué poco sentido del humor tenía!

—Pará, pará... Es una broma.

—¡Es mentira! ¡Mirá si se va a enterar!

Y Paula pasó del llanto a las piñas, acompañadas de tales insultos, que si su mamá la hubiera escuchado, le hubiera pegado la boca con cinta adhesiva para siempre.

Pero la broma, era broma a medias, porque el padre de Miriam sí se había enterado de que Paula tenía un virus. Claro que él creyó que era un virus de los otros y por eso había ido a hablar con la Directora.

—Sea razonable –le decía–, una chica con una enfermedad contagiosa, provocada por un virus que no sabemos qué es, es un peligro para el resto de los chicos.

—Tiene razón, señor Reinoso –contestó la Directora–, si Paula está enferma, no puede viajar, por los chicos y por ella misma. Pero el hecho es que no sabemos si está enferma.

—Señora, ¿el papel que le mostré no es suficiente? Ahí dice bien clarito...

—Señor Reinoso, si yo me dejara llevar por todos los papelitos que se pasan los chicos podría creer que muchos de ellos se casaron, que otros se batieron a duelo, que hay más de un asesino e incluso que tienen una cierta tendencia a la poligamia...

—Este asunto no es para hacer chiste, señora –dijo Reinoso ofendido.

—De ninguna manera. Yo le agradezco esta información. Voy a hablar con los padres de Paula, voy a pedir un certificado médico, y después veremos.

—Yo creo que es necesario un certificado médico de todos los chicos –dijo Reinoso–, porque, a lo mejor, Paula está sana, pero el virus lo tiene algún otro.

—Los chicos se hicieron una revisación hace quince días... –le contestó la Directora con paciencia.

—Bueno, pero, ¿completa? –insistió Reinoso–. Porque pueden estar bien de salud, pero hay otros problemas que habría que tener en cuenta...

—¿Problemas como cuáles?

—Problemas... Usted me entiende... Drogas, por ejemplo.

—Señor Reinoso: yo no necesito un certificado médico para saber si en la escuela hay algún alumno drogadicto; y sí así fuera, nada mejor para ese chico que poder participar junto a sus compañeros de un viaje.

—¿Usted sabe lo que está diciendo? –dijo Reinoso.

—Sé perfectamente lo que estoy diciendo, porque ya tuvimos un caso en la escuela y lo que más ayudaba a ese chico, era poder estar con sus compañeros.

—¿Y cómo yo no me enteré? –casi se preguntó Reinoso a sí mismo.

—Porque si bien usted es una persona importante en la escuela, usted es solo el Presidente de la Cooperadora. ¿Me comprende, señor Reinoso? –concluyó la Directora.

—Sí, claro... claro... –murmuró Reinoso que se había quedado medio mudo.

—Vaya tranquilo, que ya mismo me pongo en contacto con los padres de Paula.

Cuando Reinoso salió, la Directora buscó inmediatamente el teléfono de la familia Capuzotti. Aunque le molestaba que este hombre le quisiera decir todo el tiempo lo que tenía que hacer, en este caso tenía razón: si Paula estaba enferma había que atenderla y preservar al resto de los chicos.

—¡Paula! ¡¿Qué le pasó a Paula?! –gritó la madre por teléfono en cuanto la Directora le dijo quién hablaba.

—Nada, señora, quédese tranquila, pero necesito hablar con usted con cierta urgencia.

Por supuesto, casi antes de colgar, la madre de Paula ya estaba saliendo por la puerta.

—¿Cómo un virus? ¿Cómo un virus? ¿Cuándo se contagió?

—Tranquilícese, señora –trataba de calmarla la Directora, que ya le había dado un vaso de agua y una caja de pañuelos de papel–. Yo pensé que, tal vez, Paula estaba enferma y quería preguntarle a usted de qué se trataba.

—¿¡Pero cuándo se enfermó? –seguía la madre de Paula– ¡Si hoy al mediodía cuando salió de casa estaba lo más bien! Debe haber tomado frío... ¿Tiene fiebre?

—Señora de Capuzotti... Escúcheme, por favor...

La madre de Paula hizo un silencio que la Directora aprovechó para volver a explicar todo.

—Paula no se queja de nada, ni siquiera nos dijo que se siente mal, ni que está enferma. Nosotros "sospechamos" que puede estar enferma por un comentario que le hizo a una compañera.

—¿Ella le dijo a una compañera que estaba enferma...? ¿Y por qué no me lo dijo a mí?

—No sé, a lo mejor usted tiene que hablar con ella antes de llevarla al médico.

—¡Ay! —exclamó la madre de Paula de repente— ¡Paulita menstruó! Paulita menstruó, y en vez de decírmelo a mí, se lo contó a una compañera. Seguro que es eso.

—Señora, la menstruación no es una enfermedad. Si fuera eso, no estaríamos preocupados —dijo la Directora sonriendo.

—No será una enfermedad, pero sí es para preocuparse —contestó cortante la madre de Paula—. Sobre todo hoy en día en que las chicas no pueden salir solas a la calle.

—Mire —dijo la Directora tratando de poner fin a esa conversación absurda— ¿Por qué no hacemos una cosa? Usted la lleva a Paula al médico, él la va a revisar y vamos a salir de dudas, y de paso, le pide un certificado para poder ir al viaje.

—Perfectamente —aceptó la madre de Paula—. Ahora, lo del certificado no creo que sea necesario, porque casi seguro que Paulita no va.

—¿No? —dijo la Directora extrañada.

—No... Está muy encariñada con su perrito nuevo... no creo que lo deje. ¿La puedo retirar ahora? —preguntó antes de que la Directora pudiera reponerse de la sorpresa.

Pero si de sorpresas se trataba, Paula, ese día batió todos los récords. No terminaba de salir de una que se le venía otra. La primera fue cuando la Foca le dijo: "Paula, está su mamá". ¿Su mamá en la escuela? ¿Se enteró de lo del perro? ¿La va a cambiar de escuela? ¿La mandaron a llamar? ¡¿Qué?!

La segunda, cuando la Foca agregó: "Guarde sus cosas, que se retira". Paula quedó en tal estado, que Graciela tuvo que meterle todo en la mochila, incluso el bolso-cucha para Virus, y todavía, la tuvo que correr porque se olvidaba la campera.

—Acordate, a las seis en la plaza —le dijo mientras se la daba, pero no supo si Paula la había escuchado.

La tercera, cuando su mamá, en la puerta de la Dirección, la abrazaba, le acariciaba la cabeza y le preguntaba una y otra vez si se sentía bien.

La cuarta, cuando le anunció que iban a ver al médico y la quinta, cuando le dijo al médico que Paula tenía un virus grave.

Demasiado para un solo día. Mientras el médico la revisaba, Paula todavía estaba tratando de entender por qué su mamá había ido a la escuela.

Capítulo 19

Recién a las seis y media, Graciela, Federico y Fabián vieron aparecer en la plaza a Paula, arrastrada por Virus y con el bolso flameando en la otra mano como contrapeso.

—¿Qué pasó? –quisieron saber enseguida, mientras Virus, poco interesado en la charla, se les subía encima, los enredaba con la correa y les mordisqueba las zapatillas.

—La Directora le dijo a mi vieja que yo estaba enferma de un virus, y mi vieja se puso loca y me llevó al médico. Odio ir al médico.

—¿Y estabas enferma? –preguntó Fede.

—No, tarado, ¿cómo voy a estar enferma? No sé de dónde lo sacó la Dire.

—¿Estás segura? Yo te veo pálida... –empezó Federico.

—Vení que te tomo el pulso –dijo Fabián.

—Decime... –dijo Fede– ¿Te vas a morir? Si te vas a morir, elegí bien el día, ¿eh? A ver si todavía nos arruinás el viaje.

—Si te morís, ¿me puedo quedar con tu mp3? –preguntó Fabián.

—¡Ay! ¡Qué mal gusto, estúpidos! –dijo Graciela.

—¿Por qué mal gusto? Si tiene un virus mortal, mejor es estar preparados –se rió Fede–. Además, pobre Fabián, se va a quedar viudo...

—¡Qué tarados! –dijeron las dos chicas al mismo tiempo.

—Chan- chan- cha- chan... –Fabián empezó a cantar la marcha fúnebre y Federico lo siguió.

Las chicas lo corrieron y Virus no se quedó atrás.

—Paz, hermanos, paz en un momento como este... –alcanzó a decir Federico antes de tropezarse.

Virus se le tiró encima y lo mordisqueaba.

—¡Sáquenme al tigre de encima! ¡Salí, perro idiota! –gritaba Fede, mientras las chicas miraban tranquilamente cómo Virus se encargaba de castigarlo.

—Bueno, en serio, paz –dijo Fede cuando logró tranquilizar a Virus.

—Vamos a meterlo en el bolso a ver qué pasa –propuso Fabián.

Pero Virus, como si le hubiera entendido, salió disparado a través de la plaza.

Los cuatro corrieron atrás. Paula gritaba histérica, pensando que Virus podía cruzar la calle, los chicos trataban de atraparlo como a un cerdo enjabonado, porque Virus siempre se escabullía;

y Graciela corría de un lado para el otro, al divino botón, gritándole al perro y diciéndole a los demás lo que tenían que hacer.

La carrera terminó cuando Virus quiso. Cansado, se tiró en el pasto con la lengua afuera, y dejó que Paula lo agarrara.

—Lo que me gusta de este perro es que es muy obediente –dijo Fabián.

—Está jugando... –lo defendió Paula.

—Menos mal –dijo Fede–, porque si se estaba escapando en serio, a esta hora ya estábamos en Tierra del Fuego.

— Pobrecito... –Paula le acariciaba las orejas.

—Dale –dijo Fabián agarrando el bolso–. Metelo.

—Me da no sé qué... –se resistió Paula.

Finalmente la convencieron. Al que no pudieron convencer tan rápido fue a Virus, que luchaba desesperado por salir de ahí adentro. Fabián sostenía el bolso abierto; Paula metía a Virus y Graciela y Federico trataban de que entraran las patas.

—Re-práctico –dijo Graciela cuando lo lograron.

—Metele la cabeza adentro –dijo Fede.

—¡Pará, animal! –lo frenó Fabián–. Por ser la primera vez, que se quede así...

—Bueno –dijo Fede mirando a Virus–. Yo creo que nadie va a sospechar si te ven subir al micro un bolso con cabeza... Es de lo más común.

Todos se rieron. Acordaron dejar a Virus ahí adentro durante diez minuos. Fabián puso el cronómetro de su reloj.

—Pobrecito... –seguía diciendo Paula mientras apretaba el bolso contra su cuerpo–. Mirá como llora.

—¡Porque lo estás estrujando, nena! –dijo Fede. Paula aflojó los brazos y Virus dejó de llorar.

—¿Viste?

Hubo un silencio en el que solo Virus lloriqueaba de tanto en tanto.

—¿De dónde habrá sacado la Dire eso del virus? –casi pensó Graciela en voz alta.

—¿Vos de qué Virus hablás? –preguntó Fabián.

—Del de Paula.

—Pará, que yo no tengo ningún virus –dijo Paula.

—Bueno, ustedes me entienden...–contestó Graciela–. Lo que me extraña es que la Dire haya inventado eso... No es de hacer esas cosas.

—Por ahí, no lo inventó –dijo Fabián–. Por ahí escuchó hablar de Virus-perro y creyó que se trataba de virus-enfermedad.

—¡Eso sí que estaría bueno! –dijo Graciela riéndose.

—Suerte que la Dire no conoce el virus-computadora, porque capaz que quiere un formateo del disco de Paula, que sería algo así como un lavado de cerebro –bromeó Fabián.

—¡Qué complicado, chabón! –dijo Fede–. Además, Paula tiene el cerebro lavado desde que nació.

Paula le sacó la lengua.

—Lo que es cierto es que la Directora no nos puede haber escuchado hablar de Virus –dijo Graciela que seguía preocupada–. No pasó ni una sola vez cerca nuestro. Tiene que haber sido otra cosa...

—¡Este es un caso para Súper Agente Graciela! –anunció Fede– ¿Podrá resolver este enigma? Véalo en el próximo capítulo.

—No te rías, idiota –dijo Graciela–. A mí esto me huele mal.

—Debe ser que Virus se hizo caca –agregó Fede.

—¡Con vos nunca se puede hablar! –se enojó Graciela.

—Paren –intervino Paula–. No se van a pelear de nuevo, ¿no?

Federico la ignoró. Le encantaba pelearse con Graciela... ¡Bah! Lo que le encantaba era molestarla.

—Si conmigo no podés hablar, escribilo –se rió.

—Sí, como con el mapa, que por tu culpa casi nos pescan.

—¡¿Por mi culpa?! –gritó Federico–. Si el mapa...

—¡¡Paren!! –gritó Fabián incorporándose. Los chicos se quedaron mudos con el grito y hasta Virus dejó de llorar– ¿Dónde está el mapa? –dijo.

—¿Qué mapa? –preguntaron las chicas.

—¡Una ambulancia, por favor! –bromeó Fede–. Lo contagió la Foca: pide mapas hasta en la plaza.

—Pará –lo frenó Fabián–. En serio, ¿dónde está el mapa?

—Pero, ¿qué mapa?

—Ése... donde escribimos atrás el otro día...

—¡Ah! No sé –dijo Graciela–. No lo vi más. No me acuerdo si lo tiré o lo perdí, no sé.

—Pensá, es importante –la apuró Fabián.

Los chicos lo miraban intrigados. ¿De qué hablaba Fabián?

—No me acuerdo –dijo Graciela–. No lo vi más.

—¿Ustedes se acuerdan de lo que decía ese mapa? –les preguntó Fabián.

—Pavadas –dijo Fede.

—Sí, pavadas –contestó Fabián–, pero también decía Virus...

—¿Y...?

—¿Están dormidos? –se enojó Fabián– Que si alguien agarró ese mapa y leyó Virus, se pudo haber confundido.

—Ah, sí –dijo Graciela descreída–. Y si alguien lo encontró, ¿cómo supo que era nuestro? No tenía ningún nombre.

—Eso es cierto –coincidió Paula.

—Todos los pibes escucharon que vos le pasabas un mapa a Fede –insistió Fabián.

—Sí, pero nadie vio si Fede me lo devolvió des...

Graciela no terminó la frase. Una idea se le cruzó por la cabeza. Fabián, Federico y Paula también se dieron cuenta.

—¡Miriam! –dijeron los cuatro al mismo tiempo.

—¡Qué estúpidos fuimos! –dijo Fede– ¿No vieron que el padre de Miriam estuvo hablando con la Dire antes de que viniera la madre de Paula?

—¡La odio! ¡La odio! ¡La odio! –decía Paula pateando el piso.

—Al menos, le salió mal –dijo Graciela.

—Sí, pero Miriam es capaz de hacerle creer a todo el mundo que yo estoy enferma para que nadie se me acerque.

—¿Qué te importa? –dijo Fede–. Vos sabés que es mentira.

—Sí, pero ella debe estar convencida de que yo estoy enferma de verdad.

Los cuatro se miraron.

—¿Y por qué no? –dijo Fede.

—Porque estoy sana, ¡idiota! –le gritó Paula.

—Pero por un día podrías tener una enfermedad contagiosa y mortal... –dijo Fabián.

—Sí, claro... Tengo sida y después me curo.

—No, algo inventado, dejame pensar...

Cuando los chicos se fueron de la plaza, Paula ya tenía todos los síntomas de la "extracefalitis virósica", enfermedad cuyos síntomas podían confundirse con el resfrío, la bronquitis o la alergia, pero que dejaba tan solo tres meses de vida y se contagiaba por el simple contacto.

Cuando lo sacaron del bolso, Virus se sacudió y movió la cola: ¡había estado allí más de una hora! Los chicos le dieron un caramelo de premio, a pesar de que Paula protestaba porque podía hacerle mal.

Capítulo 20

El primer síntoma de enfermedad que demostró Paula en la escuela, al día siguiente, fue una ligera pérdida de equilibrio mientras se izaba la bandera.

—¿Te sentís bien? —le preguntó Graciela, mirando con el otro ojo a Miriam para ver si se había dado cuenta.

—Sí, sí, ya pasó —dijo Paula con voz de moribunda.

El segundo mareo lo tuvo mientras subían la escalera. Fabián, que iba a su lado, hizo un gesto como para atajarla.

—¡No me toques! —le gritó Paula jadeante.

—Sí, sí, ya me acuerdo —contestó Fabián.

A esa altura, ya habían logrado que Miriam no se perdiera detalle de lo que pasaba. Salvo las guiñadas de ojos entre ellos y las tentadas contenidas, Miriam lo había visto todo.

Ni bien se sentó en el banco, Paula se empezó a rascar.

Empezó por el brazo, después por la espalda y terminó rascándose la cabeza como si tuviera de visita a todos los piojos de la escuela.

—¿Tenés piojos? –le preguntó Graciela.

—No, no –dijo Paula, fuerte como para que Miriam escuchara–. Es la alergia...

En el recreo, Miriam ya no podía aguantar la curiosidad, pero no se animaba a acercarse, por miedo al contagio.

Cuando Graciela vio que las estaba mirando, le dijo a Paula:

—¡Ahora!

Y Paula empezó a toser y a llevarse la mano a la boca como si fuera a vomitar, y de paso, se tapaba la risa que se le escapaba en lágrimas por los ojos. Hasta que no pudo más y salió corriendo al baño.

Graciela, apoyada contra la pared, puso cara de preocupada, y como Miriam no terminaba de acercársele, sacó el pañuelito del bolsillo y se secó los ojos como si estuviera llorando. Miriam no pudo resistir.

—¿Qué te pasa? –le preguntó.

—Nada... Es Paula... –dijo Graciela sollozando.

Fabián y Fede se acercaron. No querían perderse ese momento.

—¿Qué le pasa a Paula? –se hizo la inocente Miriam.

—¿Cómo? ¿No sabés? –dijo Fabián.

—Está muy enferma –dijo Fede y Graciela sollozó más fuerte.

—¿Qué tiene? –preguntó Miriam, verdaderamente asustada.

—Extralitis virósica –contestó Graciela entre sollozos.

—Extracefalitis virósica –corrigió Fabián, tentado por el error de Graciela.

Ese momento fue duro. No podían reírse y arruinarlo todo.

—¿Qué es eso? –preguntó Miriam, que jamás se había imaginado algo así.

—Es mortal –dijo Fabián.

—Sí... le quedan tres meses de vida –llegó a decir Graciela.

—¿Tres meses...? –Miriam se puso pálida–. Menos mal que avisé...

—¿Que avisaste qué?

—No... que...me pareció que Paula no estaba bien... y le avisé a la Directora. Bueno, mi papá le avisó.

—Muchas gracias... –dijo Graciela limpiándose los mocos.

—Sí, che, gracias –agregó Fabián–. Estuviste re gamba.

—Si no hubiera sido por vos... –empezó Fede, pero se tuvo que frenar para transformar la risa en tos.

—Tené cuidado con el contagio –le aconsejó Fabián.

—¿Es contagiosa?

—Sí, muy –dijo Graciela–. Se contagia por contacto. Te toca y te contagia.

—¿Y cómo la dejan venir a la escuela?

—Porque ella prometió no tocar a nadie... –explicó Fede–. Además, pensá... son sus últimos días de vida...

—Sí, claro... –dijo Miriam, entre conmovida y asustada.

—¡Shhh! Ahí viene –les avisó Fabián.

Paula salió del baño todavía tosiendo, con los ojos dados vuelta y caminando en zig-zag. Los chicos no podían soportarlo.

Cuando llegó a ellos, agarrándose de la pared, todos se corrieron. Miriam más que todos.

Paula siguió manifestando todos los síntomas de su "enfermedad" al mismo tiempo. El show era tal, que los chicos no podían entender cómo Miriam no se daba cuenta. El resto del grado la escuchaba toser, o de tanto en tanto la veía rascarse, pero a ninguno le llamó la atención. Solo Miriam estaba aterrorizada.

Entró al aula empujando a todos, como siempre, para pasar primero, y se sentó. Paula venía haciendo equilibrio entre los bancos y al llegar a su lugar, justo adelante de Miriam, hizo como que se tropezaba y fue a caer cuan larga era sobre ella.

Miriam pegó un grito de terror. Todo el mundo se dio vuelta, sin entender por qué gritaba Miriam si la que estaba en el suelo era Paula.

—No me toquen. No me toquen –decía Paula mientras se levantaba–. Disculpame, me tropecé –le dijo a Miriam.

Pero Miriam no podía contestar. Pálida, inmóvil, aterrorizada, se sentía contagiada de esa enfermedad apestosa. La única frase que se le cruzaba por la cabeza era: me voy a morir, me voy a morir.

Al rato, se estaba rascando la cabeza. La alergia... pensó Miriam, sin acordarse que, en ella, tener piojos era cosa de todos los días.

A los cinco minutos, ya se rascaba con las dos manos y tenía el pelo como un nido de caranchos. Empezó a toser. Ahora voy a vomitar... pensó.

Se levantó, y agarrándose de los bancos para no caerse, llegó hasta el escritorio de la maestra.

– Señorita... ¿Puedo llamar para que me vengan a buscar? No me siento bien... –dijo, y se puso a llorar.

—Che, me parece que esta vez se nos fue la mano... –dijo Graciela en el recreo.

—Que se embrome, así aprende –contestó Fede.

—Sí, pero se puso re mal...

—Ella empezó esta historia de la enfermedad.

—Sí, pero por ahí no quiso hacer nada malo; se confundió, le puede pasar a cualquiera –insistió Graciela.

—Sí, claro –dijo Fabián–. A cualquiera le pasa que cuando se entera de que un compañero está enfermo, se lo cuenta a los viejos para que lo buchoneen por toda la escuela... ¡Salí! Se lo merece.

—Lástima que no está enferma de verdad —agregó Federico.

—¡Ay! ¡Bestia! —dijo Graciela.

La única que no decía nada era Paula. Se sentía culpable como si realmente le hubiera contagiado a Miriam una enfermedad incurable.

A medida que pasaba el día, peor se sentía. Se imaginaba a Miriam internada en el hospital y no se lo podía perdonar, como si este cuento de la enfermedad fuera cierto.

Hasta tal punto se preocupó, que a la tarde, no aguantó más y la llamó por teléfono para ver cómo estaba.

—Hola... Miriam... Soy Paula.

—¡Boluda! —fue la rápida y única respuesta de Miriam y le colgó el teléfono.

Capítulo 21

Es que Miriam estaba absolutamente furiosa con Paula, empezando por el papelón que le había hecho pasar en el consultorio del médico.

—¡¿Extra qué...?! —había preguntado el médico asombrado, cuando Miriam le preguntó si los síntomas que tenía no eran los de la "extracefalitis virósica".

—¿De dónde sacaste eso? —preguntó el médico risueño.

—Una compañera mía tiene. Se está por morir —dijo Miriam con cara de circunstancia.

—No, querida —dijo el doctor—, esa enfermedad no existe.

—¿Está seguro, doctor? —preguntó el padre de Miriam.

El médico carraspeó y lo miró fijo:

—¿Cómo "está seguro"?

—Es una forma de decir... —se disculpó el padre de Miriam, riendo para disimular—. Usted sabe, uno se preocupa tanto por lo hijos...

—Si usted está realmente preocupado por la salud de Miriam —dijo el médico—, yo le aconsejaría que la ponga a dieta, porque esta chiquita tiene un sobrepeso que no la favorece en nada.

Miriam salió del consultorio toda colorada y echando chispas. Ese idiota del médico no le había creído, y encima le había dicho gorda y, encima, iba a tener que hacer régimen, y encima... ¡Su papá!

—¿Cómo se te ocurre hacerme salir del negocio para hacerme pasar un papelón semejante? –le dijo cuando estuvieron en la calle.

—Te juro que es cierto, pa, ese doctor no sabe nada –se defendió Miriam–. Paula está enferma... A lo mejor me equivoqué de enfermedad... A lo mejor se llama de otra manera. Vas a ver, preguntale a la Directora.

—Eso es lo que pienso hacer.

Pero la Directora lo recibió con el certificado médico de Paula en la mano.

—Puede quedarse tranquilo, señor Reinoso –le dijo–, Paula Capuzotti está perfectamente sana. Gracias por su preocupación.

—Pero pa... –intentó protestar Miriam.

—Pero papá, nada. No quiero escuchar hablar más del tema. Y esto se acabó –dijo, quitándole el alfajor que Miriam tenía en la mano–. Acaba de empezar tu dieta.

Miriam entró al aula. Tenía ganas de agarrar a Paula de los pelos, pero se contuvo. Con su papá enojado, de nada valía: lo único que le faltaba hoy era una nota en el cuaderno de comunicaciones.

—¿Y, gorda? ¿Cuándo te morís? –le preguntó Federico al pasar por el banco.

—¡Estúpido! –le contestó.

Miriam no estaba dispuesta a pelearse. No ese día. No pensaba demostrar que había sido una tonta. Ya iba a encontrar una manera mejor de cobrarse esta.

Tampoco los chicos querían peleas: estaban a una semana del viaje y eso importaba mucho más que todo lo que pudiera hacer Miriam. Por supuesto, si ella volvia a meterse con ellos, no se iban a quedar tranquilos. Pero el día venía calmo. Miriam no volvió a hablar de enfermedades ni de médicos, y ellos rápidamente lo olvidaron, porque su principal preocupación seguía siendo Virus.

—Hay un problema –les dijo Paula

—¿Otro más...? –preguntó Fabián.

—Sí. ¿Cómo hago para llevar a Virus?

—En el bolso, nena, no preguntes pavadas –contestó Fede.

—Eso ya lo sé. Lo que digo es cómo hago para sacarlo en el bolso de mi casa.

—Abrís el bolso, lo metés adentro, lo levantás de las manijas y te lo llevás. No es tan díficil –dijo Fede.

—Pero mi mamá se va a dar cuenta y me va a preguntar qué llevo en ese bolso, que para colmo no es nuestro –insistió Paula.

—Le decís que llevás sandwiches –dijo Fabián.

—Sándwiches de perro –aclaró Fede.

—Es que...

—¿Es que, qué?

—Es que mi mamá revisa todo lo que llevo –se animó a confesar Paula.

—¿En serio?

Los chicos no lo podían creer. Era cierto que todas las madres andaban revoloteando alrededor de los bolsos con "llevate este buzo", "esa camisa, no", "¡¿te vas a llevar eso?!" y otras cosas de madre, pero ninguno podía imaginarse a su mamá revolviendo adentro del bolso para ver qué habían guardado.

—Pensalo bien –dijo Fede–, a lo mejor, te conviene. Tu vieja va a revisar el bolso, abre el cierre, mete la mano adentro y Virus la muerde... ¡Te puedo asegurar que tu vieja se pega tal susto, que no vuelve a revisarte un bolso nunca en tu vida!

—Y yo te puedo asegurar que me quedo sin viaje.

—Dale, hay que pensar algo... –intervino Graciela–. Paula tiene razón.

—¡Lo tengo! –gritó Fabián.

—¿Qué?

—Vos le decís a tus viejos que para que Virus no les de trabajo mientras vos no estás, se va a quedar en mi casa –empezó a explicar Fabián–. Entonces, el día anterior me lo traés y yo lo llevo en el bolso.

—Solucionado. Pasemos a otro tema –dijo Fede.

—No, pará –dijo Paula que no estaba muy convencida–. Y vos, ¿qué decís en tu casa?

—No sé, algo se me va a ocurrir...

—Podés decir que llevás a Virus a lo de Fede –se le ocurrió a Graciela.

—Eso: y yo digo que Virus está en tu casa –le contestó Fede.

—¿Para qué?

—¡Qué lentas son! –le dijo Fede a Fabián–. Porque así todo el mundo cree que Virus está en otro lado y si a alguien se le ocurre preguntar, van a armar tal confusión que no van a entender nada.

—Pero al final se van a dar cuenta... –protestó Paula.

—Para cuando se den cuenta ya estamos de vuelta –dijo Fabián.

—No sé, me parece muy arriesgado...

—Más arriesgado es llevar a Virus en el micro, porque si lo descubren, seguro que lo tiran por la ventanilla –dijo Fede muy serio.

—¿Te parece? –preguntó Paula asustada.

—¡Qué idiota, nena! ¡Mirá si lo van a tirar por la ventanilla! Al perro lo van a dejar... A la que van a tirar a la ruta es a vos.

—¡Qué tarado!

En realidad, todos sabían que la solución que habían encontrado no era de lo mejor.

Bastaba con que a la madre de Paula se le ocurriera preguntar por el perro para que todo se descubra. Pero, por mucho que pensaron, no se les ocurrió nada mejor.

Capítulo 22

El lunes, cuando Paula volvió de la escuela, vio con sorpresa que en su casa no había nadie. Tiró la mochila en su cuarto y aprovechó para juntar las cosas de Virus que tenía que llevarle a Fabián, antes de que llegara su mamá. No era fácil, porque Virus se le prendía de las zapatillas y tironeaba con los dientes todo lo que Paula quería levantar del suelo.

Fue metiendo todo en el bolso, cosa por cosa: las mantas de la cucha, el plato de la comida y el del agua, alimento para perros, la pelotita que usaba para jugar, ¡ah! y un papel de diario con pis de Virus que usaban para que aprendiera a hacer en la calle; ¡ah! y la escobita para juntar la caca que había comprado su mamá. Listo.

Ahora la correa. Virus empezó a saltar a su alrededor. Siempre hacía lo mismo, se ponía tan contento porque lo iban a sacar que era imposible ponerle el collar.

—¡Quieto, Virus! ¡Quedate quieto! –gritaba Paula, pero Virus no entendía de apuros.

Cuando por fin se la pudo poner, tuvo que luchar con Virus que tironeaba hacia la puerta de calle, para que la dejara ir a buscar el bolso que había dejado en la cocina.

Paula y Virus corrieron hacia la puerta; Paula abrió y ahí mismo se chocó con su mamá.

—¿Ya llegaste, Paulita? Se me hizo tarde porque no te podía conseguir un gorro de lana –dijo la mamá entrando y dejando a Paula petrificada contra la puerta y a Virus tironeando hacia el ascensor.

—¿Para qué quiero un gorro de lana?

—En Córdoba de noche refresca mucho –dijo la mamá.

—Pero ma..., estamos en Octubre... –empezó a protestar Paula.

—¿A dónde vas con eso? –la interrumpió la mamá.

—¿Con qué?

—Con ese bolso, Paula.

—Ah... nada... a lo de Fabián.

—¿Con la escobita del perro? –la madre de Paula había visto la escobita asomar por el cierre del bolso.

—Eh... Sí. Para que junte la caca de Virus –. Ya está, ya se lo dije, pensó Paula.

—¿De Virus? ¿Querés entrar a ese perro y explicarme bien?

Lo cierto es que Virus, harto de esperar y de tironear había empezado a ladrar en el pasillo.

Paula tiró de la correa hasta que lo entró. Por suerte Virus empezó a ladrar más fuerte: eso iba a hacer que la charla fuera corta.

—¿Para qué le llevás eso a Fabián? —retomó la madre a los gritos para hacerse escuchar.

—Es que Fabián se ofreció a cuidar a Virus mientras estoy en Córdoba.

—Pero si Fabián también se va a Córdoba...

—Bueno. La mamá de Fabián, quiero decir —¡Uy! ¡Qué difícil!

—¿La mamá de Fabián se va a quedar con Virus...? ¿Estás segura?

—Sí.

—Mejor que hable con ella.

—No está —dijo Paula rápidamente.

—Y si no está, ¿cómo se va a quedar con Virus?

—No está ahora. Viene más tarde —zafó Paula.

—Entonces esperemos a que llegue y que yo hable con ella.

—Es que más tarde tengo que hacer el bolso.

—Hacelo ahora.

—Es que ya quedé.

—¡Ay, Paula! ¡Yo quisiera saber de dónde salió esta idea de llevarte a Virus! Si se puede quedar acá perfectamente.

—Es para no darte trabajo. A la mamá de Fabián, le encantan los perros, siempre quiso tener uno.

Mirá, yo me voy ahora, y le digo a Fabián que vos vas a hablar con la mamá.

La madre de Paula dudó un instante, que a Paula le pareció eterno. No estaba bien que Paula llevara el perro a la casa de Fabián, pero si la señora quería cuidarlo... Después de todo, ese perro era un dolor de cabeza. Ella lo había aceptado pensando que Paulita iba a renunciar al viaje, y al final, el perro no había servido para nada. Quién sabe... a lo mejor el perro se encariñaba en lo de Fabián y después se quedaba allá para siempre. De todas formas, si molestaba mucho, podían ir a buscarlo.

—Bueno, andá. Pero volvé enseguida que hay mucho que hacer. ¡Decile que después la llamo! –gritó cuando Paula cerró la puerta de ascensor.

Paula y Virus corrieron las siete cuadras que los separaban de la casa de Fabián.

—¿Qué te paso? –le preguntó Fabián cuando los vio llegar a los dos, con la lengua afuera.

—Me... me... a... agarró mi vieja –dijo Paula como pudo, y le contó lo que había pasado.

—Quedate tranquila –dijo Fabián–. Yo ahora desconecto el teléfono y listo.

—Pero mañana se van a ver en la escuela...

—Algo se nos va a ocurrir. Vamos por partes –la tranquilizó Fabián– ¿Qué trajiste ahí?

—Las cosas de Virus.

—¿Y esto...? –preguntó Fabián agarrando con asco el papel de diario mojado.

—Para que lo hagas hacer pis en su diario...

—¿Y vamos a llevar un diario meado en el bolso? ¡Vos estás loca!

—Es para que no sienta el cambio...

—Después de viajar ochocientos kilómetros adentro de un bolso, no creo que le importe hacer en cualquier parte –contestó Fabián mientras tiraba el papel a la basura.

—¿Le avisaste a tu vieja?

—Sí, le dije que venía por una noche y que mañana tenía que llevárselo a Graciela.

—¿Y qué dijo? –preguntó Paula, que temblaba con solo pensar que podían descubrirlos.

—Que no había problema, pero que estábamos locos.

—¿Y vos qué le dijiste? –siguió preguntando Paula.

—Que lo llevábamos de casa en casa para marearlo, así no se daba cuenta de que vos te ibas.

—¿Y ella qué te dijo?

—¡Cortala, nena! ¡Está todo bien! Andate antes de que tu vieja te venga a buscar –la frenó Fabián harto de preguntas.

En realidad, Paula no estaba interesada en que Fabián le contara la conversación con su mamá; lo único que no quería era separare de Virus, pero el argumento de Fabián fue contundente. Acarició a Virus durante diez minutos más, lo besó, lo estrujó, y se fue.

Todo estaba en orden, salvo que la mañana siguiente todavía estaba tan lejos.

Capítulo 23

A las seis en punto, Fabián ya estaba levantado. Tratando de no pisar a Virus que se le enredaba entre los pies, llevó su bolso hasta el living y le enganchó la campera en las manijas. No, mejor se la llevaba puesta. Tanteó en los bolsillos: ahí estaba el mp3, la autorización firmada y el chocolate que le había regalado su abuela para el viaje. Buscó la mochila; volvió a revisar: las revistas, las cartas, la plata. Agregó la comida de Virus. Después buscó el bolso-cucha y la correa de Virus. En puntas de pie entró al cuarto de sus padres. ¿Cómo podían dormir todavía?

—Ma.... –dijo despacito, acercándose a la cama.

—Mmmm –abrió un ojo su mamá.

¿Entenderá algo de lo que le diga?, pensó Fabián.

—Me voy a llevar a Virus a la casa de Graciela...

—Ese perro lloró toda la noche... –contestó la mamá, todavía dormida.

Mejor, pensó Fabián, así duerme en el viaje.

—Te dejo todo listo en el living –dijo–. No te olvides de los sandwiches. Nos encontramos en la escuela...

—¿Te llevás la campera? –preguntó la mamá que, aunque dormida, no dejaba de pensar como una madre.

—La tengo puesta.

—Bueno...

—No se vayan a quedar dormidos –le recomendó Fabián, viendo que su mamá se volvía a acomodar.

—Mmmm –fue la dudosa respuesta.

Fabián le puso a Virus la correa, agarró el bolso-cucha y salió. Por supuesto, jamás había pensado ir a la casa de Graciela.

Primero pasó por la plaza. Ahí le soltó la correa a Virus y lo hizo correr todo lo que pudo. Era mejor que estuviera bien cansado. Pero Virus era un perro bastante vago, así que después de dos o tres vueltas a la plaza, se echó en el pasto con la lengua afuera y cara de pedir clemencia. Fabián le dio agua. Después lo acarició y lo metió en el bolso.

—Bueno, Virus –le dijo–, acaba de comenzar tu viaje de egresado.

Fabián apuró el paso para llegar a la escuela primero. No quería correr para no sacudir a Virus que iba en el bolso. Hasta la esquina de la escuela lo dejó ir con la cabeza afuera. Ahí cerró el cierre y dejó solo un agujero para que pudiera respirar.

Bien, todavía no había llegado nadie. Tenía que esconder el bolso.

Cruzó por delante de la puerta de la escuela silbando y mirando para otro lado. Todavía estaba cerrada. Vio a Ramón en el patio del fondo. Bien.

Fabián fue derecho hasta la ventana de la Dirección donde estaba el medidor de gas. Trató de abrir la puertita de chapa. Estaba muy ajustada y no tenía manija. Fabián se tanteó los bolsillos de la campera, más para pensar qué podía hacer que para encontrar algo. Pero encontró: la noche anterior había guardado su cortaplumas. Había sido una buena idea.

La abrió e hizo palanca contra el borde. La puerta cedió.

—Bueno, Virus —le dijo al perro que pacientemente esperaba dentro del bolso—, esta es la peor parte. Pero es un ratito, nada más. En cuanto pueda te saco.

La verdad es que había pensado que el lugar era más grande. Por favor... ¡Que llegue rápido el micro!

—¿Qué hacés acá?

Fabián no pudo evitar pegar un salto: era Miriam.

—Me voy de viaje de egresados. Chau, no me extrañes —le contestó y caminó hacia los escalones de la escuela.

—Idiota, yo también voy —dijo Miriam siguiéndolo.

—Por un momento creí que nos íbamos a salvar. ¿Y para qué te disfrazaste así? –le preguntó al toque, porque acababa de verla bien.

—Tarado, qué querés que me ponga... ¿el guardapolvo? Así estoy cómoda; yo no soy como esas tontitas que se visten para que las miren. A mí la moda no me importa.

—Lo que pasa, es que la moda para vos todavía no se inventó –le contestó Fabián.

—Sos un tarado –dijo Miriam y se fue corriendo hasta el auto, donde su papá todavía seguía bajando bolsos y bolsitos.

En verdad, parecía disfrazada: tenía unas calzas ciclistas de color fucsia, amarillo y turquesa, por donde se le escapaban, incontenibles, las rodillas como pelotas desinfladas, sostenidas por unas medias gruesas de color rosa y zapatillas negras. Por arriba de las calzas aparecía un borde de remera blanca y después un buzo también fucsia con grandes letras de colores y, como si todo fuera poco, un gorro fosforescente le coronaba la cabeza dejando ver, por abajo, un pelo de dudoso peinado. Todo esto sin olvidar la cantimplora colgada en bandolera, la riñonera en la cintura y la máquina de fotos en el cuello.

—¿Qué es ese elefante disfrazado? –preguntó Martín que acababa de llegar, doblado por el peso del bolso.

—Miriam –contestó Fabián.

—¡La parás en La Falda y la ves desde acá! –dijo Martín.

—Sí, está muy discreta.

—¿Y tus viejos?

—Ahora vienen –dijo Fabián–. ¿Trajiste los dados?

—Sí, acá los tengo –contestó Martín tocando el bolsillo de la mochila.

Llegaron Roxana, María Sol y Matías. Los chicos tiraban los bolsos junto a sus padres y corrían a reunirse a la escalera. Todos tenían algo nuevo para mostrar, algo para contar y algo para acordarse que se habían olvidado. Hablaban a los gritos y todos al mismo tiempo.

Fueron llegando los chicos de los otros grados, guardapolvo puesto y mochila al hombro. Algunos los saludaban y los palmeaban, otros los miraban de reojo. ¡Qué envidia! Los grandes... los que se iban de viaje... los que se iban de la escuela...

Y los de séptimo, crueles, se lo hacían sentir mirándolos por arriba del hombro. Durante años habían querido estar donde ahora estaban y, por fin, el día había llegado.

Todos hablaban del viaje, del micro, del hotel, de la comida, pero Fabián pensaba en Virus; lo único que quería era estar arriba de ese micro.

Apareció la Directora.

—¿Todo bien? –les preguntó con una sonrisa.

—¡Sí! –contestaron los chicos a coro.

—¿Llegó la señorita Elvira?

—¡No!

Y estos tarados tampoco, pensó Fabián.

Al rato, aparecieron Verónica y Daniel. Fabián miró el reloj: ocho y cuarenta. ¿Podían ser tan tontos como para quedarse dormidos?

Daniel y Verónica dieron las primeras instrucciones que los chicos cumplieron al instante: dieron el presente, entregaron las autorizaciones, acomodaron los bolsos en hilera y volvieron a juntarse a charlar.

¡Graciela! ¡Por fin! Fabián corrió hacia ella.

—¿No llegó el micro? –preguntó Graciela.

—Sí, está en el salón de música –le contestó Fabián.

—¿En el salón de música? ¿Cómo entró...?

—¡Ay, nena! No llegó el micro... Escuchame...

—¿Y Paula?

—Tampoco. Escuchame...

—¿Y Fede no llegó?

—¡No! –gritó Fabián– ¿Me querés escuchar?

Graciela cerró la boca, pero escuchó poco, porque estaba atenta al movimiento que había alrededor.

—Lo encerré a Virus en el medidor de gas.

—¡Ay! ¡Virus! ¡Es cierto! ¿Dónde está?

—¡En el medidor de gaaas! –casi gritó Fabián.

—¡Shhh! ¿Y qué hace ahí?

—Lo tuve que esconder. No lo podía tener en la mano, podía ladrar o algo así. Escuchame.

—¿Y la Foca?

—No la vi. ¡Escuchame! –Fabián la sacudió de los hombros.

—¡Pará, bruto! –se soltó Graciela– ¿Qué querés?

—Tenemos que tratar de que tus viejos y los míos no hablen nunca: mi vieja cree que Virus está en tu casa.

—¿Pero no me dijiste que estaba en el medidor de gas?

—Graciela, ¿estás tonta? "Mi vieja" cree que está en tu casa.

—¡Ah! Bueno. Ahí viene Fede –dijo Graciela y salió corriendo.

Fabián se agarró la cabeza. Estaba seguro de que Graciela no lo había escuchado. Mejor que él se ocupara de que los viejos no se juntaran. Fue y se pegó a su mamá que acaba de llegar, dispuesto a no dejarla sola hasta subirse al micro.

—¿Qué te pasa que estás tan pegote? –le preguntó su mamá extrañada.

—Nada, que te voy a extrañar... –dijo Fabián abrazándola, y era una mentira bastante verdadera. La mamá sintió que las lágrimas se le empezaban a acumular en la garganta.

—¿Viniste solo? –le preguntó Graciela a Federico.

—No, me trajo mi vieja en un taxi –dijo Fede de mal humor.

—¿Y no se queda?

—¡No, nena! Trabaja. Además, ¿para qué se va a quedar? ¿Para decir boludeces por la ventanilla y sacar el pañuelito?

—No sé... para despedirte.

—Ya me despidió –contestó Fede, y dejó a Graciela parada y con la boca abierta para ir a llevar su bolso.

Un taxi se acercaba por la calle a toda velocidad, tocando bocina. Alguien, en el asiento de atrás, agitaba las manos fuera de la ventanilla con desesperación.

El taxi frenó de golpe en la puerta de la escuela y todos vieron aparecer por la ventanilla la cara desencajada de la Foca que preguntó con desesperación:

—¿Ya se fueron?

La Foca se había pegado el susto de su vida: por primera vez en toda su carrera, el despertador no había sonado y se había quedado dormida. Por suerte (por suerte para ella, no para los chicos), la Directora, extrañada porque no había llegado, la hizo llamar por teléfono. Corrió de tal manera para no perder el micro, por la vergüenza de llegar tarde y sobre todo, por el mal ejemplo que era para los niños, que si alguien le hubiera levantado la camisa, habría descubierto que debajo todavía llevaba el camisón.

La Foca, desesperada, se tiró con todos sus bolsos en el primer taxi que pasó, y casi se muere cuando al doblar la esquina de la escuela no vio el micro. Tan nerviosa estaba, que ni siquiera se dio cuenta de que los chicos estaban todavía en la vereda.

Enloquecida como estaba, bajó los bolsos por la ventanilla, donde, por supuesto, se quedaron trabados y fue necesario que algunos padres corrieran a socorrerla. Por fin, le pagó al taxista y bajó.

Ni en el mejor de los sueños, los chicos podían haber imaginado algo así: la Foca en jeans, nuevos, azules y duros, doblados con botamanga hacia arriba, por lo menos dos talles más grandes de los que necesitaba; borceguíes brillantes, campera de paño a cuadros grandes, pañuelo al cuello, un sombrerito de paja en la cabeza que llevaba atado al cuello... y ¡un paraguas en la mano!

Fue inútil que los padres los codearan, los fulminaran con la mirada o los retaran: los chicos no podían parar de reírse. Por suerte la Foca, como siempre, no entendía por qué. La risa terminó en gritos y aplausos cuando el micro, enorme, asomó la trompa por la esquina.

Capítulo 24

Fue llegar el micro y empezar las corridas: los chicos corrieron para subirse; los padres corrieron atrás de los chicos para despedirse; Verónica y Daniel corrieron atrás de los padres y de los chicos para organizar la salida y el pobre chofer, que en algún momento tuvo intenciones de bajar, volvió a sentarse en su asiento y se apoyó en el volante, esperando con resignación que todo se tranquilizara antes de abrir la puerta.

Tres personas quedaron en la vereda: la Directora, que salió de la escuela al ver el micro, la Foca, que quedó girando como calesita con los bolsos en la mano y Fabián que, desesperado, miraba hacia todos lados porque Paula no había llegado.

Finalmente, entre gritos y silbatazos, Verónica y Daniel lograron poner un poco de orden para que el chofer pudiera bajar y abrir las bauleras.

—No llegó Paula —le dijo Fabián a Fede abriéndose paso entre el gentío.

—¿No llegó?

—No, ¿qué hacemos?

—Llamemos a la casa.

Fabián fue a pedirle el teléfono a la Directora.

Atrás del él corrieron Federico y Graciela.

—¿Y?

—No contesta nadie –dijo Fabián.

—A ver, dejame a mí –dijo Fede sacándole el teléfono de la mano.

Mientras Fede marcaba, se escuchó con claridad un llanto de perro. Federico y Graciela miraron a Fabián que les hizo un gesto con la cabeza: sí, era Virus.

—Hay un perrito ahí afuera que lloró toda la mañana –dijo la Secretaria asomándose por la ventana.

Graciela le clavó las uñas a Federico en el brazo.

—Pobrecito... debe estar abandonado –siguió la Secretaria–. Yo no sé cómo la gente puede ser tan cruel de tirar a los perritos por ahí.

—Yo tampoco –dijo Fede, y Graciela le dio un codazo.

Nadie contestaba el teléfono en la casa de Paula. Los tres chicos corrieron a la calle. Los bolsos ya estaban en el micro. Daniel y Verónica, parados en el pescante, estaban diciendo algo:

—... En cuanto lleguemos, vamos a llamar a la casa de la familia Domínguez y de la familia Reinoso para avisar, y después ustedes hacen cadena.

—¿A qué hora vuelven? –preguntó una madre.

Federico, Graciela y Fabián se abrieron paso hasta llegar a la puerta del micro.

—Falta Paula —le dijeron a Daniel.

—Ahora llamamos por teléfono —les contestó.

—Ya llamamos, pero no contesta nadie...

—Quédense tranquilos, vamos a esperar unos minutos.

—Bueno... —dijo Verónica—. Llegó la hora. Yo los voy a ir nombrando. Hagan una fila delante de la puerta del micro.

El revuelo fue mayor esta vez. Los chicos que querían ser los primeros y los padres que querían saludarlos. Empujones, abrazos, recomendaciones, madres llorosas, padres tragando saliva, mochilas, gorros, risas, máquinas de fotos, más empujones. Sólo Federico estaba apartado de ese amontonamiento esperando a Paula. Mejor, odiaba las despedidas.

Verónica empezaba a leer los nombres. Los chicos entre apretujones formaban la fila como podían.

—Fabián Levin...

Nadie contestó.

—Fabián Levin... —repitió Verónica.

—¡No viene! —gritó Miriam, pero sus compañeros la hicieron callar.

—¡Acá está! ¡Acá está!

Fabián llegaba corriendo con un bolso bajo el brazo.

Le había venido al pelo que todo el mundo se amontonara junto al micro, para agarrar el bolso de Virus sin problemas. Cuando Virus lo escuchó, intentó ladrar de alegría, pero Fabían rápidamente metió por el cierre comida para perro que traía en el bolsillo de la campera, y el glotón de Virus se tranquilizó.

De pasada, volvió a darle un beso a su mamá y a su papá. No quería quedarse junto a ellos porque estaba seguro de que lo iban a descubrir. Por favor... ¡Que los dejaran subir pronto! ¿Y dónde estaría Paula?

—¿Llegó...? —le preguntó a Graciela.

Graciela negó con la cabeza. Su mamá terminó de arreglarle el pelo que llevaba suelto debajo del gorro, se abrazaron y Graciela también se puso en la fila.

—¿Qué hacemos? —preguntó Fede que llegó último.

—No sé... —dijo Fabián—. Lo que pasa es que no nos conviene esperar porque en cualquier momento Virus se pone a ladrar.

—¿Podemos pasar por la casa de Paula? —le preguntó Graciela a Daniel.

—No. A ver... —pidió Daniel—. ¿Algún papá con auto podría ir a la casa de esta chica a ver qué pasó?

—Yo voy —dijo Domínguez—. Pero no se vayan a ir antes de que vuelva, ¿eh?

—No, lo esperamos —dijo Daniel.

Los chicos empezaron a subir, empujándose para encontrar un asiento al lado de sus amigos, o más atrás, o en la ventanilla, mientras los padres, abajo, giraban alrededor del micro, apurados por ubicar dónde estaban sus hijos, llamándose, chocándose y golpeando los vidrios.

Fabián y Fede cosiguieron el último asiento.

—¡Copado! –dijo Fede, y tiró la mochila al asiento de adelante para guardárselo a Graciela.

Fabián se tiró al piso. El lugar no era muy grande, pero Virus iba a estar bien. Además, ahí atrás, hasta podían tenerlo encima tapado con camperas. Acomodó el bolso de Virus debajo del asiento y volvió a darle comida.

—¡Yo me siento acá! –otra vez la voz de Miriam lo hizo saltar– ¿Qué hacés en el suelo?

—Se me cayó un alfajor –dijo Fabián, y ni él mismo se lo creyó.

Miriam intentó acomodar su bolso en el asiento de adelante.

—Salí, nena, ahí se sientan Graciela y Paula.

—Paula no vino, y no creo que venga –contestó Miriam, y se instaló.

—¿Qué hacés acá, gorda? –le preguntó Graciela que llegaba recién con sus cosas.

—Voy a Córdoba –contestó Miriam.

—Sí, pero en otro asiento –le dijo Graciela.

—Y si es posible en otro micro –agregó Federico.

—Yo me siento donde quiero. ¡¡Vero!! –llamó Miriam– ¿Me puedo sentar acá?

—Sí, claro. Si está libre... –contestó Verónica.

—¡No está libre! ¡Es para Paula! –se enojó Graciela.

—¡Ay, chicas! No sean chiquilinas... –dijo Verónica–. Todos son compañeros, y la idea es compartir entre todos, y si el que tengo al lado no me copa, bueno, hago un esfuerzo y me lo banco... Van a ver que hasta van a descubrir nuevos amigos.

—No creo –dijo Graciela malhumorada mirando a Miriam–. Escuchame, si llega Paula, ¿Se puede sentar acá y Miriam se cambia?

—Okay –dijo Verónica–. Me parece un buen trato.

Graciela acomodó sus cosas y se tiró contra el asiento. Las ventanillas se iban abriendo y chicos y padres hacían los últimos comentarios. Miriam le ocupaba a Graciela toda la ventanilla, así que Graciela se pasó al asiento de los chicos.

—Acordate de comprarle algo a la abuela... –se escuchaba por ahí.

—No andes sin el gorro, ¡mirá que el sol allá es muy fuerte!

—¿Me vas a extrañar?

—¡Dale de comer a los peces!

—¡Que Nico no me use la compu!

—¡Acordate de traerme peperina!

—¡Cuidá la máquina de fotos!

Ya no quedaba nada demasiado importante para decirse. Ya todo había sido dicho quinientas veces en los últimos días. Pero, ¿qué otra forma había de acercarse cuando cada vez estaba más cerca el momento de alejarse?

—¡Ahí viene el padre de Claudio! –gritó uno.

Efectivamente, el señor Domínguez llegó a tiempo, pero sin Paula y sin noticias.

—Estaba todo cerrado –dijo–. Subí hasta el departamento, pero no había nadie. El portero tampoco sabía nada.

—Bueno, chicos –dijo Daniel–. Tenemos que irnos.

La última esperanza se apagó en la cara de Fabián, de Fede y de Graciela, que empezó a sentir una lágrima que le rodaba por la cara.

—¡Convencé a los padres para que la manden en avión! –le gritó a su mamá– ¡Dale, por favor!

El motor del micro se puso en marcha. Los chicos gritaron. Los padres también gritaron y alzaron sus manos. Las chicas sacaron por la ventanilla un cartel enorme que decía:"AGUANTE *SEPTIMO* A Y B".

Una lluvia de papelitos cayó desde el micro.

La Foca, que todavía estaba abajo, se despidió de la Directora y subió.

—¡Sentados en sus asientos! –gritó parándose junto al chofer.

Nadie la escuchó.

La Foca probó otra vez palmeando las manos. Menos. Resignada, se ubicó en el primer asiento, que estaba libre.

"Y ya lo ve!
Y ya lo ve!
Para la escuela
que lo mira por T.V...!"

Los chicos empezaron a cantar a los gritos, golpeando la chapa del ómnibus, mientras de las ventanas de la escuela se asomaban las caritas envidiosas de los que estaban en clase.

La puerta del micro se cerró.

Un auto hizo chirriar los frenos detrás del micro. Todos miraron sorprendidos al hombre que venía corriendo, agitando los brazos.

—¡¡Mi viejo!! –gritó Fede, sacando medio cuerpo afuera de la ventanilla.

—¡Atajá! –le gritó su papá arrojándole un paquetito.

Fede lo cazó en el aire y rompió el papel: un cortaplumas nuevito, como el de Fabián.

—¡Buenísimo, viejo! –le gritó.

—¡Qué te diviertas! –alcanzó a gritar el padre de Fede cuando el micro se puso en movimiento.

El griterío aumentó. El micro, lentamente, empezó a avanzar. Brazos, pañuelos, hermanitos en los hombros, besos y más besos tirados con las manos, manos y más manos escondiendo lágrimas.

Los padres siguieron el micro todo lo que pudieron. Después, el micro tomó velocidad y dobló en la esquina, lleno de brazos que salían por las ventanillas.

El silencio clavó a los padres en el piso. Algunos todavía agitaban las manos, mudas. No había nada que decir, nada que recomendar, nada que hacer.

—Se fueron —dijo alguien, confirmando que el momento temido había llegado. Entonces, empezaron a moverse. Alguno bromeó con "una semana de tranquilidad"; alguno pidió a Dios que todo vaya bien; alguno se consoló pensando que una semana pasa rápido, pero en ese momento, todos hubieran querido estar arriba de ese micro, y si hubiera sido posible, volver el tiempo para atrás y tener a upa a los "bebés" que acababan de salir de viaje de egresados.

Pero los chicos, lejos de imaginar el estado calamitoso en que habían quedado sus padres, seguían saludando por las ventanillas a todo el que pasaba, cantando y festejando. Todos menos los del fondo, que aplastados contra los asientos, no podían dejar de pensar en Paula. ¡Y para colmo, Graciela tenía a Miriam sentada al lado! Ni pensar en cambiarse de asiento: el único que quedaba libre estaba adelante de todo... ¡y al lado de la Foca!

Habían hecho unas diez cuadras, más o menos, cuando un auto pegado atrás del micro empezó a los bocinazos. Después dos autos, después tres...

Los chicos les gritaban, pensando que querían pasarlos y no podían. Desde lo autos empezaron a hacer señas y a tocar bocina cada vez con mayor insistencia.

—¡Mi papá! –gritó Fabián que, con el ruido, recién se había asomado a ver qué pasaba– ¡Chau! ¡Chau!

Pero desde los autos no contestaban el saludo: gritaban desesperados que pararan. Cuando los chicos se dieron cuenta, también empezaron a gritar, pero desde adentro del micro.

—¡Pare, chofer, pare!

Por suerte, lo que ellos no habían logrado, lo consiguió un semáforo. El micro se detuvo. Los autos también. Todas las puertas se abrieron de golpe y los que estaban adentro, que no eran otros que algunos de los padres, corrieron hacia el micro. Y entre ellos, atrás de todo, Paula.

Recién entonces el chofer se avivó de lo que estaba pasando y abrió la puerta. Los padres empujaron a Paula adentro del micro, tiraron los bolsos como pudieron detrás de ella, la puerta se cerró y el micro volvió a arrancar.

Se renovaron los gritos de despedida que se mezclaron con los de bienvenida a Paula.

Paula, despeinada, transpirada, colorada, se arrastró hacia el fondo del micro.

—Rajá –le dijo Graciela a Miriam cuando la vio venir.

Miriam la miró con odio. Se levantó, bajó su mochila del portaequipaje pegándole en la cabeza a Graciela, empujó a Paula y se fue adelante a sentarse... ¡junto a la Foca!

Paula se desplomó en el asiento. Graciela la abrazó. Federico y Fabián se asomaron por arriba del respaldo.

—¿Qué te pasó? –le preguntaron.

—Mis viejos creyeron que el micro salía de Retiro... Después les cuento.

Paula no tenía ni fuerzas para hablar. ¡Qué importaba!... Ya estaban los cuatro juntos.

Virus lloriqueó. Bueno... los cinco.

Por suerte en el micro había demasiado ruido.

—¡Nos vamos a Córdoba! –gritó Graciela de repente, como si recién se hubiera dado cuenta.

—No, es una excursión al Museo de Ciencias Naturales –dijo Fede– ¿Nadie te avisó...?

Los cuatro se rieron. Paula sacó un chocolate gigante del bolsillo.

—Pará, yo tengo otro –dijo Fabián metiendo la mano en su campera.

—¡No! –gritó mostrando la mano repleta de comida para perro– ¡El chocolate se lo di a Virus!

Y el viaje recién empezaba. **Q**

Lectores divertidos, la aventura continúa en
www.quipu.com.ar
info@quipu.com.ar

@quipulibros
/caidosdelmapa

Impreso en TALLERES GRÁFICOS **D.E.L.** S.R.L.
E. Fernández 271/75, Tel: 4222-2121
Avellaneda, Buenos Aires.
en el mes de noviembre de 2013.